JN059224

# なぜ中国は台湾を併合できないのか

福島香織
Fukushima Kaori

PHP

# なぜ中国は台湾を併合できないのか

目次

序章

# 台湾のコロナ対策はなぜ成功したのか

## 第1章 台湾民主化という「奇跡」

## 第2章 民進党政権が定着させた「台湾アイデンティティ」

## 第3章 蔡英文政権の変貌

## 第4章 2024年の総統選挙と台湾の未来

# 第5章 習近平「一つの中国」の失敗

## あとがき

# 序章　台湾のコロナ対策はなぜ成功したのか

## 台湾のゼロコロナ政策

２０２２年８月22日から９月５日にかけて、台湾を訪問した。その年の８月２〜３日、ナンシー・ペロシ米下院議長が訪台すると聞いて、その後、万が一のことが起こるかもしれないと心配になり、とにかく台湾に行こうと急に思い立ったのが７月下旬。どちらにしろ２０２２年は日華断交50周年の年であり、11月には台湾の中間選挙ともいうべき統一地方選（九合一選挙）が行われる。

台湾を最後に訪れたのは２０２０年１月、台湾総統選取材のときで、その直後、新型コロナ肺炎の世界的アウトブレークによって、台湾のみならず、国境を越えた移動が非常に困難になった。このタイミングで一度、台湾の現地を見ておくことは必要だと考えた。

欧米では「ウィズ・コロナ」に政策が転換しつつあり、日本も台湾もコロナ防疫政策がそろそろ緩むころかと思われた。そこで、とりあえず、自分の仕事が比較的融通の利く８月下旬出発の航空チケットを押さえた。

だが、そこからがけっこう大変で、台湾はアジアの中では、中国についでコロナ防疫政策の厳格な国であった。まず、台湾訪問には当時まだ、ビザが必要だった。だが、いわゆるフリーランス記者への取材目的ビザは原則出さない方針だという。いずれにしても、ビザ申請は一日先着順60人ほどしか受け付けず、折しも秋の新学期に向けて台湾留学予定者が、代表処業務が始まる午前9時の何時間も前から大勢、ビザ申請に並ぶような状況だった。

最終的に台湾内外の関係者から便宜を図ってもらうかたちで、台湾内の企業から委託を受けて取材、調査することになり、商務ビザを発行してもらうことになったが、出発までに無事ビザが取得できるか、かなり心配した。これまでビザ免除で気軽に行けた台湾だけに、コロナ禍(か)下の台湾の厳格な管理体制に驚かされた。

台湾は中国と同様、一種のゼロコロナ政策ともいうべき新型コロナ肺炎感染者や感染予備軍の完全隔離政策を取っている。だがそれを実際、経験して思うのは、台湾の「管理」は厳しいが、ある種の合理性に基づき、納得のいくものであった。

## 8日間を隔離ホテルで過ごす

ビザを取得し、往復のチケットを取った段階では、入国72時間前のPCR検査の陰性証明も必要だといわれた。これは出発の直前になって緩和され、必要なくなった。だが、台湾入りした空港でのPCR検査と、指定された隔離ホテルでの丸4日の完全隔離と、その後4日間の原則隔離が義務付けられていた。つまり台北（タイペイ）到着後、８日間は指定された隔離ホテルで過ごさねばならない。前半の４日間は、ホテルの部屋から一歩も出られず、食事は３度、ホテル側から提供される格好になる。後半の４日は、抗原検査の陰性が証明されればホテル側に申請書を出し、許可を受けたうえで、仕事や買い物のために外出できるが、レストランの会食などはダメ、という。この隔離ホテルは、防疫や衛生管理の手間がかけられている分、いずれも通常価格より高く設定されており、バスタブやバルコニーがついているという条件で探すと、１日単価２万円近くした。

## 日本の比ではなかったＰＣＲ検査の真剣度

台北の松山（ソンシャン）空港に到着すると、職員は全員、白いつなぎの防護服で頭から足先まで覆われていた。次亜塩素酸水の霧を吹きかけられ、決められた隔離ルートに誘導された。

飛行機の搭乗前に、スマートフォンで所定のフォーマットで健康申告をしておくのだが、その登録証明をまず見せる必要がある。このとき、台湾の電話番号が必要なので、その場で使い捨てのＳＩＭカードを購入し、隔離ホテルから外出するときに必要な抗原検査キットなども受け取る。この電話番号を通じて、いわゆる隔離期間、派出所などから体調や所在地の問い合わせなどが行われる。次に、ＰＣＲ検査室に誘導される。個室に入り、唾液をキットに採取し、キットを渡して、のちに検査結果に問題があれば、連絡が来ることになる。

唾液はかなりの量を要求される。このくらいでいいか、とドアの小窓から検査キットを見せると、防護眼鏡とマスクで表情の見えない職員が、「あと1センチ（分の唾液を出して）！　がんばれ〜」などという。すべての旅客から、こんなふうに大量の唾液を採取して、一つひとつ検査し、管理するわけだ。ごくろうさん、と感心するしかなかった。

著者が隔離されたホテル

預け荷物をピックアップするまでにおよそ1時間にわたる種々の手続きが、厳格に行われる。ちなみに、当時は日本も入国者に関して防疫チェックが行われており、帰国時に私は日本の検疫もひと通り体験したが、その真剣度、厳格度は比ではなかった。

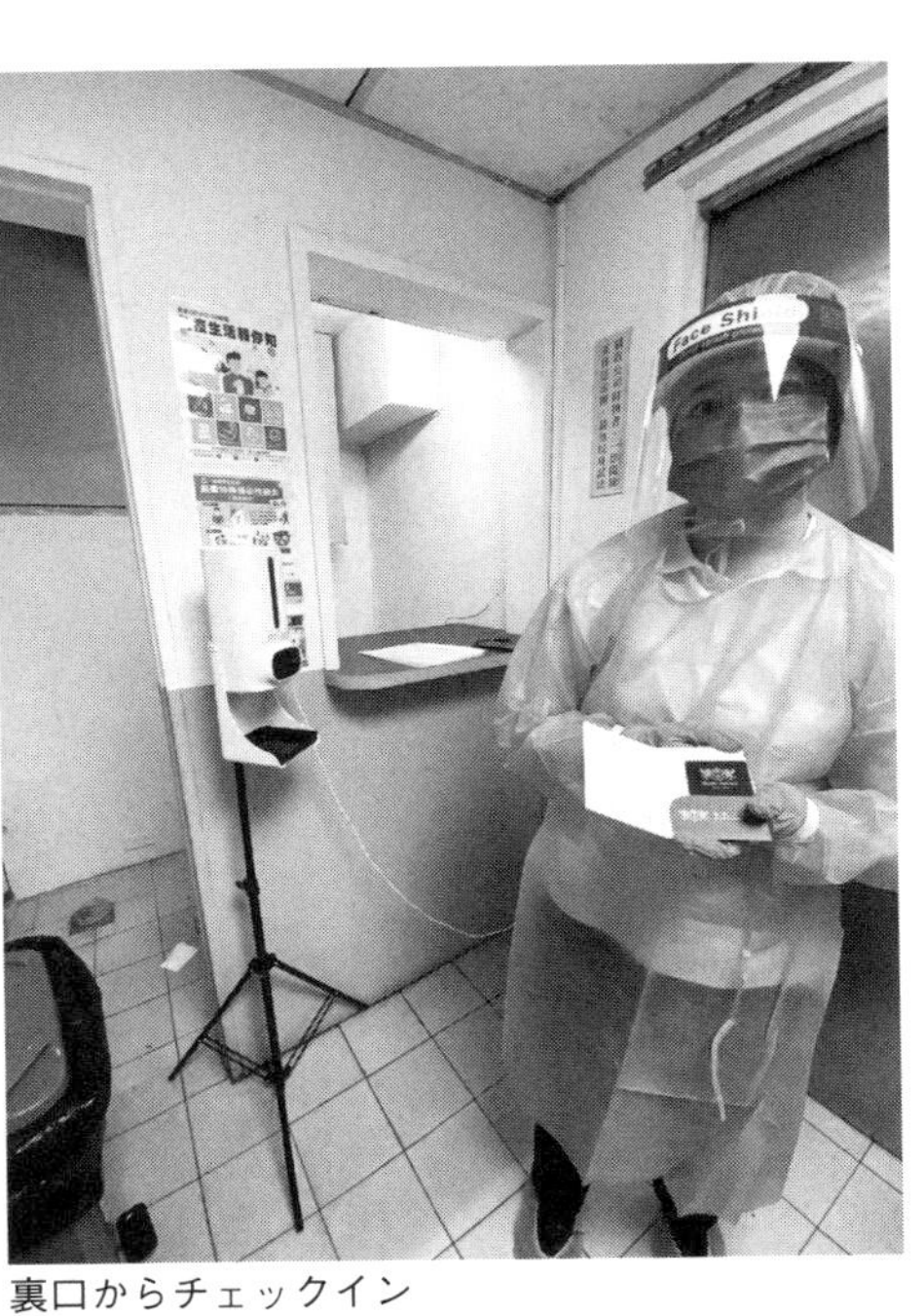
裏口からチェックイン

日本の防疫チェックは、いかにも形だけで、派遣会社から派遣された誘導やチェックのための人員はマスク1枚の格好で、防護服すら着ておらず、こちらが質問しても、マニュアルどおりの答えもろくにできないようないい加減な検疫だった。たぶん、空港で検疫に当たっている派遣職員自身が、ここまでする必要はなかろう、と思いながら、旅客に対応しているのではないか。

松山空港から一般タクシーとは区別された「防疫タクシー」に乗り、10分ほどで隔離ホテルに到着した。一般客と区別されて、裏口からチェックインする。チェックイン手続きをするホテルのフロント職員もつなぎの白い防護服にマスク、防護眼鏡姿だ。専用のエレベーターで専用フロアの隔離部屋に入った。

部屋は25平米くらいと広々としており、バルコニーから中山区（ちゅうざん）の街並みと傾きかけた太陽が見えた。窓を開けると、気温は33度くらい。日本のほうが猛暑だったので、気温だけでは真夏の台北に来たという実感はさほど湧かない。

テーブルの上にサービスのフルーツがあり、2リットル入りのミネラルウォーターのペットボトルが8本、インスタントコーヒー、ティーバックなどが備品として置いてあった。ホテルをチェックアウトするまで、他者を入れることができないので、ルームメイキングや掃除、衣類のクリーニングなどのサービスはなし。タオルなどは使い捨ての紙タオルを使う。まもなくチャイムがあり、遅い昼食の差し入れがあった。まだ温かい豚バラと栗の入った粽（ちまき）と米線（ミーシエン）という台湾らしい高カロリー屋台飯コンボを一口食べたときに、ようやく台湾に来たんだなあ、と実感した。

## またたく間に市場を拡大したデリバリーサービス

4日間のホテル隔離中、ホテル側とはＬＩＮＥのみでやり取りした。最初のころは、ホテル側は私が日本人なので日本語と英語で連絡してきたが、中国語ができるとわかってからは、中国語でラインを送ってきた。

また空港で登録した台湾の携帯電話番号には、中山区の派出所から時々連絡が来て、最初のころはものすごく丁寧な日本語で、体調に変化はないか、といった居場所を確かめるような電話が１日１度あった。食事は充実していて、朝は主にマクドナルドなどファストフードのモーニングセット、昼食は屋台飯、夜は巷（ちまた）で人気の弁当屋のデリバリーで、野菜や肉をバランスよく使った飽きの来ないメニューが工夫されていた。決まった時間に、出来立ての温かいものが部屋の前のテーブルに置かれ、チャイムが鳴らされた。食事を運んだ人が立ち去ってからドアを開けて、これを室内で食べる。ゴミは部屋の外のゴミ箱に入れておく。

台北の友人に差し入れを頼むこともできたし、自分でＬＩＮＥなどで食べたいものや必要なものを注文することができた。ただし、これはフロントに１００新台湾ドル（５００円）の手数料が必要だ。

新型コロナ防疫政策で、台湾の飲食店は苦境に陥（おちい）っていた。日本のように協力金制度などないので、生き残り競争はずっと厳しい。デリバリーは、生き残り策の最大の鍵だった。これまで、安くおいしい屋台がどこにでもあった台湾ではなかなか根付かなかったデリバリーサービスの分野で、飲食店は鎬（しのぎ）を削るようになった。これは、のちに取材した台湾大手飲食チェーングループ、東東餐飲集団の李日東会長も指摘していた。そして台湾のデリバリーフード業界は、品質、価格、サービスもきわめて高水準で、またたく間に市場を拡大したのだった。

4日間の隔離中、私は書籍のゲラ検や原稿の締め切りやCS番組のリモート出演やラジオ番組出演など結構忙しく、もともと原稿執筆中は部屋に長時間こもって動かない仕事なので、さほど苦痛は感じなかった。ただ、栄養価の高い食事がきちんと3食届くので、体重はかなり重くなった。食事は事前に申し入れると、キャンセルできるのだが、食事代金はホテル代にこみで、返金はされない。貧乏性の私はつい食べてしまう。

台湾飲食チェーン大手・東東餐飲集団の李日東会長

完全隔離の4日が過ぎると、申請すれば日中は外出できる。前日に抗原検査キットで陰性を確かめ、その検査結果と書き込んだ申請書の写真をLINEでホテルフロントに送ると翌日には外出が許可された。外出は夜23時までに戻ることがルール。外食は一人でするならよいが、会食はダメということだった。取材相手に「ばれませんよ」と食事に誘われることもあったが、スマートフォンのGPSで居場所はわかるらしいので、とりあえずルールは厳密に守った。こうして日中は取材に出かけるが、夜は必ず隔離ホテルに戻るという生活をさらに4日間過ごし、晴れて隔離生活が終了。

その後は、普通の台湾取材旅行と同じだ。今回は台北と台南（タイナン）で政治と民主と経済に関するデータを集め、事情通に話を聞いた。

## 政府の政策に対する有権者の信頼度の差

2年半ぶりに台湾に来たのだが、大きな変化は、街ゆく人たちがみんなきちんとマスクをつけていること。マスクなしの人は2022年8月の段階でほとんど見かけなかった。公共の場所、タクシーを含む公共交通機関内ではマスク着用は義務で、注意されてもマスクをしなかった場合、3000～1万5000新台湾ドルの罰金が科される。

だが、台湾人自身の意識も高く、こうした罰則付きの義務化に文句を言う人はあまりいなかった。もちろん仲間内で会うときは、この部屋ではマスクなしで大丈夫だよ、などといって、マスク義務化が実際は不愉快であることはそこはかとなく醸（かも）すのだが、折しも8月下旬は台湾

恒春の夜市、2022年11月

の感染者が急増していたタイミングであり、少なくとも私の交友範囲では台湾社会自体が新型コロナ感染拡大よりはマスクの不快感のほうがまし、という考えが多数派であった。

また、台湾の厳しい防疫政策に対しては、おおむね市民の要求に応えたものであると肯定的に評価し、「政府は防疫に比較的成功している」と答える人が多かった。

これが日本なら、罰金でもってマスク義務化を強いるようなやり方をすれば、きっと大反発が起きただろう。GPSで隔離対象者がどこにいるか、地元派出所に管理されるというのも抵抗を感じただろう。台湾人が比較的、こうした権威主義的な管理をおとなしく受け入れているのは、政府の政策に対する有権者の信頼度の差かもしれない。

実際、台湾で、中央感染対策指揮センター長として新型コロナ防疫政策の陣頭指揮を取った元厚生福利部長（厚生相）の陳時中はこのコロナ政策で一気に知名度と信頼感が上昇し、11月の台北市長選挙の民進党候補となった。11月の統一地方選挙と陳時中については、のちに章を改めて述べることにする。

## 完全無視を決め込んだＷＨＯ

ここでは、簡単に台湾の新型コロナ防疫政策がどのようなもので、どうしてそれが成功したと肯定的に評価されているのかをざっくり説明しておこう。

中国当局が湖北省武漢での新型コロナ肺炎の発症を公式に発表したのは、２０１９年12月31日。その前日の30日に中国はＷＨＯ（世界保健機関）に報告していたが、中国が感染の深刻さを認めて、武漢に対しロックダウン措置を取ったのは1月23日になってからだった。ＷＨＯが「世界的な緊急事態」と宣言したのは、その一週間後の1月30日だった。

だが、台湾は12月31日の段階で武漢からの直行便の検疫を開始。その日のうちにＷＨＯに対しても書簡を送り、「中国の武漢で7例の非典型的肺炎の発生が伝えられている。中国の保健当局はＳＡＲＳ（重症急性呼吸器症候群）ではないとしているが、現在も検査が行われ、患者が隔離されている」と注意喚起を促し、関連情報の提供を求めた。ＷＨＯが台湾からの注意喚起と情報提供の求めに対し、完全無視を決め込んだことが、その3カ月後に米国に暴露され、ＷＨＯは国際社会から強い批判を受け、その信用を失墜させることになった。

## 中国人の訪台を全面禁止

蔡英文(さいえいぶん)政権は、12月末の段階で、新型コロナ肺炎の人から人への感染の可能性を考えて措置を取ることにした。翌年1月2日、当時の厚生福利部部長・陳時中は自ら台北・松山空港の検疫所を視察、武漢からの直行便の到着ゲートを検疫所に最も近いところにするよう指示を出していた。5日には専門家会議を招集している。

２０２０年1月11日は総統選挙の投開票日で、私は取材のために、8日に台北に入ったのだが、桃園(とうえん)の国際空港では、アフリカ豚熱(とんコレラ)検疫を理由に、中国からの直行便客は全員、別に集められて消毒措置と徹底した荷物検査が行われていたのを目撃した。

だがすでにそのとき、台湾は中国人客に対する新型コロナ検疫の強化を開始していたということだ。疾病管制署によれば、２０１９年12月31日から２０２０年1月8日までの時点で、武漢からの直行便13便、計1193名の乗客乗員に対し降機前検疫を実施し、11名の健康異常を発見し、経過観察を行なったという。

一方、WHOは1月14日、ツイッターのオフィシャルアカウントで「新型コロナウイルスが人から人へと感染する明確な根拠はない」とまで言っていたのだ。

1月20日に台湾は「中央感染対策指揮センター」を設置し、1月24日からこの指揮センターのトップを陳時中が務めた。1月26日から湖北在住の中国人の入国を禁止、その他地域の中国人に対しても訪台ビザの発行を原則停止した。武漢からの直行便が当時最も多かったのはバンコク、次に成田、3番目が台湾の桃園・台北松山だった。WHOは1月22―23日の会議で「公衆衛生上の緊急事態」宣言を時期尚早だとして見送り、1月30日になってようやく宣言したが、その時点でも「人の移動の制限は勧告しない」としていた。

だが台湾はWHOと関係なく、2月6日には中国人の訪台を全面禁止。3月19日には台湾に居住権をもつ人以外の外国人の台湾入境を禁止するという、徹底した水際政策を実施した。台湾の最初の感染者は1月21日、武漢から搭乗した台湾人ビジネスマンで、空港の検疫で発見された。

## メディアで隠すことなく報じる

台湾が取った強制措置は、民主主義国としてはかなり厳しいものであった。中央感染対策指揮センターは、感染者が確認されると感染リンクを追って感染源を突き止め、濃厚接触者を探し出す。濃厚接触者は在宅隔離、海外からの帰国者は在宅待機を命じられ、どちらも外出は認められず、違反者に罰金が科された。

さらに、違反者の監視のために携帯電話のGPS機能を使用、里長（選挙で選ばれる町内会長に相当）による電話での所在確認・健康観察なども組み合わせた中国並みのハイテク・人海型の監視システムを導入。罰金も最高100万新台湾ドルに引き上げた。

一方、2週間の隔離・待機措置を守った人への1万4000新台湾ドルの補償金賦与など「飴（あめ）と鞭（むち）」を使い分けた。また感染事例はセンターのネット上で公開されたが、個人情報は守られた。デマ発信者は警察が「伝染病防治法」に基づき摘発した。これは、中国が行なっているハイテク監視と社区・小区ごとの住民監視に近い、きわめて厳しいやり方だ。だが中国と大きく違うのは、台湾市民の意識の高さと、政府に対する信頼度だ。

まず、台湾人の感染症予防に対する意識は非常に高い。それは、2002年から2003年に中国から拡散したＳＡＲＳにより、台湾国内で関連死（自殺）を含めて73人の犠牲者を出した苦い経験があるからだ。

ＳＡＲＳは広東省の仏山市で最初の感染者が出たのち、中国国内では徹底した情報封鎖が行われたことにより、世界に感染が拡大した。その恐ろしさを最初に告発したのは、中国ではなく、ベトナムで中華系ビジネスマンの診療をしたイタリア人医師で、ＷＨＯの感染症対策専門家であったカルロ・ウルバーニだった。

ＷＨＯがグローバルアラートを出した２００３年3月12日の段階で、中国はなおＳＡＲＳの感染拡大を隠蔽し続けていたのだ。このため、世界32カ国・地域で８０００人以上が感染し、７７０人以上の死者を出した。台湾の死者はじつに世界のＳＡＲＳ犠牲者の１割近くを占めることになった。台湾のＳＡＲＳ被害が大きかったのは、ＷＨＯに加盟しておらず、正確な情報の取得に後れをとり、台北市和平病院での院内感染を許したからだ。

台湾政府はこのとき台北市内への感染流出を防ぐため、和平病院の突然の徹底封鎖という果断な措置をとり、一人を自殺に追い込んでしまった。台湾市民を守るために病院内の人々に犠牲を強いたこの残酷な政策は、メディアで隠すことなく報じられ、今も一部台湾市民のトラウマだ。

だからこそ、海外からの渡航を原則禁止とする「鎖国政策」も、隔離・待機措置を守らない人間に対する法外とまでいえる罰金も、市民は支持した。ＳＡＲＳの恐ろしさを肝に刻みつけられた台湾市民は、むしろこの徹底した水際作戦に肯定的だった。

## ◆歯科医から民進党候補者へ

また、市民がこの強制措置を含む厳しい防疫政策に理解を示したのは、蔡英文政権の透明性もあると思われる。

防疫政策の指揮官である陳時中は毎日定時（午後2時）に記者会見を開き、台湾の感染状況と政府の感染対策を丁寧に説明した。記者からの質問の挙手がなくなるまで会見は終わらせず、会見の様子はネットでも中継された。陳時中の回答や姿勢の是非については、市民が直接判断できるようになっていた。

陳時中は、行政・官僚経験のない歯科医から蔡英文の指名で厚生福利部長（閣僚）になったが、その専門家らしい実直な印象は、市民から好感を得て、２０２２年11月の台北市長選挙に民進党候補として出馬することになった。結果は対抗馬の蔣介石（しょうかいせき）の曾孫（ひまご）の蔣万安（しょうばんあん）に敗れたのだが、人情家で、時に会見中涙を見せることもあった陳時中は、その後も新型コロナ防疫政策の英雄と見なされている。

私がのちに衛生官僚筋から聞いたのは、陳時中を含めて当時、現場にいた官僚たちの多くが、紙おむつをつけていたという。「トイレに行く間もない激務であった」という。２０２０年3月26日の「ＴＶＢＳ」の世論調査で、陳時中への支持率は91％に達した。

## 利便性を高めたオードリー・タンのマスクマップ

2月になると、海外からの帰国台湾人の感染確認が散発的に続き、市民の自衛のために必要なマスク不足が大きな問題となった。台湾のマスク市場は中国からの輸入製品が大きなシェアを占めていたが、その輸入が止まったことも、マスク不足に拍車をかけた。

だが、蔡英文政権はいち早くマスク生産施設を徴用し、官民一体で生産ラインを増強、足りない労働力は軍や予備役に動員をかけた。マスクの増産体制の構築は、沈榮津経済部長（経済相）が指揮を取った。

同時に蔡政権は、中国へのマスク流出を防止するため、1月24日からマスクの輸出禁止と海外への持ち出し禁止措置を取った。2月6日からはマスクの購入制限を開始。台湾で製造されるマスクは政府が買い上げ、購入者はＩＣチップ入りの健康保険カードの提示を求められた。

台北市長選挙の出馬登録に訪れる陳時中

マスクは当初、1人2枚と購入制限があり、行列して購入せねばならず、また売り切れで買えないこともあった。

これを受けて、各薬局のマスク在庫量をインターネットで公開するマスクマップを、当時のデジタル担当の政務委員（閣僚）の唐鳳（オードリー・タン）の支援を受けて民間エンジニアがボランティアで製作。マスク購入者の利便性を高めた。このマスクマップにより、マスクの流通の透明性が高まり、マスクが買えない人の不満もずいぶん緩和された。唐鳳は台湾コンピューター界の偉大な10人の1人と呼ばれるプログラミングの天才で、2016年に35歳の若さで蔡英文によって閣僚に抜擢された人物で、あらゆる情報がネットで公開される「徹底的な透明性」を理念として掲げている。

厳しい防疫政策であったが、ほとんどの台湾人が隔離措置を守ったし、マスクをはじめ物資の買い占め現象も、医療崩壊も、少なくとも社会問題になるほどは起きていなかった。ワクチンに関しては、台湾は中国からの圧力と妨害などで、適時に十分な量のワクチンを確保できない状況に一時的に見舞われたものの、妨害を受けながらも米国や日本の外交を通じてワクチンを入手し、日米がともにワクチンを提供するなどして、その外交関係を強化するきっかけともなった。ちなみに日本が深刻なマスク不足に陥ったときに、台湾はマスクを提供してくれた。

## 強制措置を取りながら国民の満足度が高い政策を打ち出せた

少なくとも新型コロナ肺炎のパンデミックにおいて、第一波の感染拡大はほぼ完ぺきにコントロールできたと評価された。2020年3月以降は欧米で新型コロナパンデミックが広がり、大勢の死者を出したが、台湾はこれも継続してコントロールできた。2021年のデルタ株、2022年に入りオミクロン株が流行するまでは、ほぼ完璧にコントロールできていたといえる。

残念ながらデルタ株、オミクロン株については、台湾もかなりの感染者と死者を出している。2022年10月の段階で、累計感染者741万人、死者1万2258人。台湾人口2300万人のおよそ5倍の人口の日本が累計感染者2200万人、死者4万6336人だから、結果的には人口比でいえば日本より高い感染率だ。

だが、それでも台湾が「コロナ防疫政策の優等生」という国際的評価は揺るがないと思う。日本のコロナ政策は、いろいろ問題を指摘されつつも、私は決して結果的にはそう悪くはなかったと思っているし、批判するつもりもない。感染者数も死者数も台湾よりは人口規模からいっても、人口密度的にいっても、そう劣ってはいまい。

ただ、台湾の新型コロナ政策が際立ってうまくやれたと個人的に評価したい理由の一つは、日本と違い、台湾は中国から様々な妨害に遭い、WHOにも加盟できず、きわめて不利な状況であった中で、日本では決して真似できないような強制措置を取りながらも、国民の満足度が非常に高い政策を打ち出せた、という点だ。これは日本も今後の参考に、この成功の秘訣を学ぶべきではないかと思う。

ちなみに新型コロナ下の台湾経済については、たしかに観光業、飲食・小売業は厳しい状況に追い込まれていたが、半導体産業という基幹産業がしっかりしているおかげで、経済全体でいえばむしろ活況で、2021年の実質GDP成長率は6・28%で、11年ぶりの高水準だった。2022年はこれより下がったが、4%弱はあった。

## ウイグル人、チベット人を餓死させた中国のロックダウン

そして、同じ強制措置を伴う厳しいゼロコロナ政策を行なった中国と比較すると、台湾のゼロコロナ政策がいかに成功したかもわかるだろう。

中国では、2020年1月下旬から新型コロナ発生地の武漢で60日にわたるロックダウン措置を取ってから、全国各地でゼロコロナ政策を取り続け、様々な規模でロックダウンを行い続け、2022年もそれは続いた。

とくに2022年3月以降の上海におけるロックダウンは市民からの強い抵抗が起き、家の中で食糧が尽きて餓死者が出たり、違反して外出した市民が管理当局から激しい暴行を受けたり、妊婦や急病人が適切な治療、ケアを受けられずに命を落としたり、あるいは心を病んでアパートから飛び降りたりする事件が相次いだ。全民PCR検査という非合理的な検査を繰り返し、これを拒否したり抗議したりする人間に対する暴力行為も目に余った。

1人の感染者が出たら、そのコミュニティに住む万単位の人をいっせいに隔離施設に収容する強硬措置も、新型コロナウイルス以上に市民を恐怖に陥れた。その隔離施設には冷暖房など

なく、食糧も十分ではない劣悪な環境であることも多かった。また、裕福な上海市民への嫌がらせのようにその自宅に強制的に入り、消毒と称して家財を消毒液だらけにするなど、個人の財産の破壊なども行われた。

２０２２年7月以降から新疆（しんきょう）ウイグル自治区やチベット自治区の地方都市で行われた長期ロックダウンは、家に閉じ込められたウイグル人やチベット人の餓死者が多く出たと伝えられた。これはじつは新型コロナウイルスの予防コントロールが目的ではなく、党大会前に少数民族地域の治安維持を狙った移動制限が目的ではないか、といわれた。

こうしたゼロコロナ政策は、たとえば上海の２０２２年の第２四半期のGDP成長率マイナス13％というすさまじい経済停滞を招いた。

中国の感染数は２０２２年10月の段階で累計１０２万人、死者５２２６人と、人口比率でいえば、台湾や日本よりもずっと少ない。だがこれを、中国のゼロコロナ政策のおかげだとポジティブに評価する声を中国人民からほとんど聞かない。

ＳＮＳで漏れ伝えられる声は、中国ではコロナウイルスよりもコロナ政策による死者が多い、コロナよりコロナ政策が恐ろしい、ということであり、中国のこうしたゼロコロナ政策は、人民の健康と生命を守るためではなく、コロナを口実に人民を監視管理、支配する全国的なシステムを確立させる機会としたのではないか、と疑われるほどに、ゼロコロナ政策に対する人民の不信は強かった。

## 民主主義と共産党独裁の違い——奇跡はどのように起きたのか

蔡英文が2020年1月11日、台湾史上最高の817万票で2期目の総統に当選したのは、蔡英文政権1期目の政策が評価されたというよりは、中国の習近平政権の香港に対する支配強化、一国二制度の破壊を目の当たりにした危機感から、中国との和平協議を党是とする国民党に対し、有権者がノーを突き付けたことが大きい。

だがその後、比較的支持率の高さが維持できたのは、その直後に中国・武漢で発生した新型コロナ肺炎によるパンデミックが広がったこと、その新型コロナを台湾が水際で防げたことが大きく影響した。このとき、私の台湾の友人たちはとくに支持政党をもたないノンポリな人も含めて「蔡英文政権でよかった！」と言っていた。

つまり中国にノーと言えない国民党政権であれば、ここまで徹底して中国人の訪台を禁止できず、きっと台湾にも感染が広がっただろう、というわけだ。

新型コロナの防疫政策は、同じような政策をとっているように見えて、民主主義の台湾と、共産党独裁の権威主義中国の体制が異なるだけで、どれほどの違いがあるかを目に見えるかたちで世界に知らしめたといえる。

同じ言語を使い、儒教の影響や価値観が社会に色濃く残るなど文化的に共通の部分があるように見えて、政治システムと体制が違うだけで、よく似た政策もうまく機能し、そこに暮らす人々の理解や協力も大きく異なってしまう。

台湾がどうして、かくも中国と異なる社会を形成できたのか。それを一言で「民主主義を確立させたから」というなら、アジアで民主主義を勝ち取っても、再び軍政に戻ったり、動揺が続いている国はいくらでもある。台湾の民主主義の確立を１９９６年の最初の総統選と定義すれば、台湾の民主主義はまだ四半世紀ほどの歴史しかないのに、時に日本よりもうまく機能していると感じる場面もある。

台湾もかつては独裁政権に支配されていた。だが血腥い革命も内戦も起こさずに台湾は民主主義を勝ち取り、中国と似た言葉や伝統文化を保ちながらもまったく異なる価値観と国民性を備えた国を造り上げた。この台湾の民主主義は、私は、一つの奇跡であったと思う。

本書は、２０２２年９月に上梓した『台湾に何が起きているのか』（ＰＨＰ新書）の続編として、台湾の民主化の道程に焦点を当てて書いた。この奇跡がどのように起きたのか、なぜ奇跡が起こりえたのか。そして、この奇跡の国が今後の国際社会の枠組みの再編の中で大きな影響力をもつ、ということを解説したい。私たちが直面する様々な危機、とくに中国の習近平独裁体制が引き起こすであろう国際社会の枠組みや、その安全保障に関わる変化をうまく乗り越えるには、独裁体制から民主主義国家に変貌し、国際社会の孤児といわれながら中国と果敢に対峙（たいじ）してきた台湾の経験値がヒントになると思うからだ。

# 第1章

# 台湾民主化という「奇跡」

## 日本統治時代に蒔かれた種

２０２２年８月28日、台北の隔離ホテルでの隔離期間を終えて、久しぶりにゆっくり台北の街中を歩いてみようと、台北の中でもお気に入りの迪化街（てきかがい）を訪れた。淡水河（たんすいが）が近くを流れるこのあたりは、清朝末期ごろから船荷を扱う問屋街を形成しはじめ、日本統治時代には茶葉、漢方薬、乾物を扱う商店が集合する商業エリアとして発展した。古い建築が残り、今はそれをリノベーションしたレトロな雰囲気のカフェやこじゃれた土産物屋が若い観光客をひきつけている。

レトロな街並みが残る迪化街

だが、この迪化街の南端から南京西路を東に向かうと、２・28事件のきっかけとなった、ヤミ煙草売りの寡婦（かふ）が取り締まり役人に暴行された場所というのがあって、そこにひっそりと碑がある。そこから遠くないところに、蔣渭水による台湾民衆党創設の地や蔣渭水記念公園がある。蔣渭水記念公園は真夏の台北に濃い木陰を与える気持ちのよい公園で、台湾人による初の政党・民衆党をつくった蔣渭水の銅像がある。

台湾民主化の種がいつ蒔かれたか、という問いの答えとして、私は日本統治時代と思っている。大正デモクラシーの影響を受けた台湾人知識人、つまりこの公園の名前にもなっている蔣渭水や、林献堂（1881―1956）らが始めた反植民地運動が台湾近代民主の萌芽であったと考えている。

## 大正デモクラシーに影響を受けた社会運動家たち

蔣渭水（1891―1931）は医師であり、台湾で最初に台湾人による政党を創り、非暴力の民族運動の指導者となった人物。宜蘭の人で、儒者の張茂才に師事したこともあり、儒教の素養もあった。1915年に台湾総督府医学校（のちの台湾大学医学部）で医学を学び、台北市の今の迪化街に近い大稲埕に大安医院を開設。医師や学生ら有志と集い、台湾の社会改革の議論を行うようになっていた。

当時はロシア革命、辛亥革命、ドイツ革命の影響で民族意識の高まりが世界的ムーブメント

蔣渭水公園内にある蔣の銅像

となり、日本でも米騒動が発生し、大正デモクラシーという言葉が流行していた。日本の大正デモクラシーに影響を受けた台湾の社会運動家といえば、樟脳事業で巨万の富を築いた台中の大地主、林文欽の長男・林献堂が知られている。

拙前著『台湾に何が起きているのか』でも少し取り上げたが、彼は奈良を旅行中、中国の思想家で変法自強運動を指導するも、失敗して日本に亡命していた梁啓超と出会い、日本統治下にいる台湾人としての苦悩を訴えたところ、アイルランドの抗英運動に学ぶように示唆されて、台湾人の参政権獲得を目指す穏健な民族運動を開始。自由民権運動を指導した板垣退助と親交を結び、その支援を借りて台湾人と日本人の同等の扱い、台湾人待遇改善を求める「台湾同化会」を設立した。

この同化会は、当時の首相・大隈重信、貴族院議長の東郷平八郎ら錚々たる政治家が支持していた。だが、台湾総督府の与えられた権力は独裁に近い強いもので、同化会は設立2カ月弱で弾圧に遭い、解散する。

しかし、この同化会発足のときの板垣演説に触発された多くの若き台湾人知識人たちが民族運動、穏健な社会運動による政治改革の精神に共鳴するのだった。

資産家である林献堂は、私財をこうした台湾の若き民族運動家、社会運動家育成に投じていく。蔡培火の日本留学を支援したのも林献堂だ。林献堂が蔣渭水とともに台湾文化協会を発足したときも、林献堂が呼びかけた台湾青年学生たちが結集する。台湾文化協会は台湾人の文化的啓蒙を目的とする会で、自治主義運動の中心となっていった。

また、ほぼ同時に明治憲法下で台湾議会を設置する請願運動も開始。こうした運動も、台湾総督府から様々な圧力を受けて、蔣渭水、蔡培火ら多くの運動家が検挙される治警事件（治安警察法違反事件）も起きた。

## 漢人アイデンティティから台湾人アイデンティティへ

こうした自治運動、民族運動の過程で、日本の無産主義（社会主義）に影響を受けた蔣渭水ら左派と、日本当局との対立を避けながら自治を模索する林献堂らの右派とに分かれていく。運動の分裂による混迷と、日中戦争の開始で本格化した台湾人の同化政策、皇民化政策の中で、こうした民族主義運動は行き先を見失った迷子のまま失速していった。蔣渭水は林献堂らとたもとを分かったのち、台湾初の政党・民衆党を設立した。２０２１年に当時の台北市長の柯文哲（かぶんてつ）が２０２４年の総統選出馬を目指してつくった新党・民衆党と同じ名前だが、これとはまったく別物である。

民衆党党首として蔣渭水は孫文の三民主義を党是として、地方自治と言論の自由を求め、農民運動・労働者運動を主導していくが、１９３１年に台湾総督府により解散命令を受け解散。その年に腸チフスで亡くなった。

林献堂は戦後まで生き延び、蔣介石とも面会、１９４７年の2・28事件後の台湾宣撫（せんぶ）工作を頼まれるが、１９４９年に病気を理由に日本に移った。１９５７年に東京で肺炎で亡くなった。

台湾人の民族運動は、台湾にいる漢人アイデンティティから発し、日本統治への抵抗というかたちで発展していったが、彼らの精神を支えたのは日本統治時代の日本留学経験や、板垣退助らの思想だった。大陸（中国）との連携を模索したときもあったが、大陸は大陸で台湾に目を向けるほど安定しておらず、むしろ拒絶された。さらに、戦後、台湾にやってきた国民党政権のすさまじい白色テロを経験したのだから、彼らの漢人アイデンティティは大陸由来のものではなく、早々に台湾語を話す台湾人アイデンティティに変わっていったと見られている。林献堂も蔣渭水も、演説はすべて台湾語で行なっていた。

## ◆民主化運動を主導した『台湾青年』

1920年に日本の台湾人留学生向けの政治刊行物として発行された『台湾青年』の編集主任だった蔡培火は戦後、国民党に入党し国民党の政治家となるが、戦中から日本は東亜の長男だとし、日華を兄弟の関係として親善を訴えていた。ちなみにこの『台湾青年』は1922年に『台湾』と名称を変え、1923年創刊の『台湾民報』につながる。さらに1929年、台湾で発行される『台湾新民報』へと発展し、1932年には正式に総督府認可の日刊紙となった。これが台湾初の中国白話文の新聞になる。

1920年代に2年だけ存在した『台湾青年』という雑誌は、1960年に日本の台湾人留学生らがその精神を受け継ぎ再び発行させる。これから語る『台湾青年』は、王育徳(おういくとく)、黄昭堂(こうしょうどう)といった、今の民主国家台湾に至る民主化運動を日本で主導してきた学生運動家たちが発行したほうのものだ。

戦後の国民党政府支配の台湾では戒厳令が敷かれ、白色テロが吹き荒れ、厳しい言論統制と恐怖政治のもと、人々は沈黙し、多くの不条理に黙って耐えるしかなかった。白色テロの主なターゲットは日本統治時代にハイレベルの教育を受けた台湾人知識人たち。彼らは殺されるか、でなければ海外に脱出するしか生き延びる道はない。

そうして戦後、多くの台湾人知識人たちが日本にやってきた。それが廖文毅（りょうぶんき）であり、邱永漢（きゅうえいかん）であり、王育徳であり、黄昭堂であり、史明（しめい）であった。また許世楷（きょせかい）であり、羅福全（らふくぜん）であり、陳南天（ちんなんてん）であり、周英明（しゅうえいめい）であり、金美齢（きんびれい）であり、黄文雄（こうぶんゆう）という人たちだった。金美齢氏や黄文雄氏らは日本での著作も多く、今も時おりテレビやネットの番組に登場するのでご存じの方も多いだろう。

彼らは日本語教育を受け、また日本も旧宗主国として彼らを受け入れる素地があった。

こうした日本に来ていた台湾人留学生たちが１９６０年2月28日、日本の比較的自由な言論空間を利用して台湾を国民党独裁から台湾人の手に取り戻す独立運動の世論を国内外に広める中心組織として台湾青年社を結成し、4月10日に『台湾青年』を創刊した。

発起人は当時明治大学の講師であった王育徳、そして黄昭堂、廖春栄、蔡季霖、黄永純、傅金泉。その後に許世楷、張国興、周英明、辜寛敏、金美齢、林啓旭、侯栄邦、そして日本人の宗像隆幸らが参与した。創立時のメンバーの多くが、王育徳が台南一中教師時代の教え子であった。その影響力の大きさと永続性からいっても、戦後の台湾民主化運動の起点となったのは王育徳で、『台湾青年』だったという言い方もできるかもしれない。

もちろん2・28事件から逃れて香港で台湾再解放連盟を設立し、東京に台湾共和国臨時政府をつくった廖文毅や、香港で台湾民主自治同盟を結成した謝雪紅も台湾独立運動の先駆者とされるが、廖文毅は途中で蔣介石の圧力に屈して独立運動を放棄したし、謝雪紅は中国共産党に参加し、1970年に北京で没した。

THE TÂI OÂN CHHENG LIÂN
臺灣青年

勞働運動と新文化の創造
改正臺灣統治基本法と植民地統治方針
文明の進歩と社會の進歩
宗教的植民政策論（上）
社會連帶論
戰爭より得たる敎訓
白水眞人に答ふ
人性之研究
國際聯盟說（一）
荀子敎育學的研究

第二卷　第五號

『台湾青年』

だが、王育徳が始めた『台湾青年』はその没後も、21世紀初頭の2002年まで500号を数え、その影響力は現台湾与党の民進党に受け継がれている。王育徳の台北高校時代の一期後輩にあたり、のちに台湾総統となって台湾に民主主義に導いた李登輝(りとうき)が台湾大学助教授時代、密かに王育徳の自宅を訪れ、台湾の未来について語り合っている。その李登輝が育てた政治家の一人が現在の総統の蔡英文である。また現台湾駐日代表（駐日大使）の謝長廷(しゃちょうてい)は京都大学留学時代に『台湾青年』を愛読し、政治に覚醒したと語っている。

## 知識青年狩りの白色テロで兄が犠牲に

2018年9月に王育徳紀念館が開設され、台湾民主におけるその貢献については今なお語り継がれ、台湾民主化の歴史における主要人物として王育徳の位置付けをはっきりさせている。

王育徳の生涯とその運動については、この台南の王育徳紀念館を訪れていただくのがいちばんよい。日本に亡命するまでの生い立ちについては王育徳の二女、王明理(おうめいり)さんが育徳の遺稿をまとめた『「昭和」を生きた台湾青年』（草思社）が、当時の時代の空気感とともにいちばんよく伝えているだろう。

簡単に触れると、王育徳は1924年、日本統治下の台湾台南市の裕福な海産物問屋に生まれた。妻妾(さいしょう)3人に大勢の兄弟がいる清朝時代のなごりの封建的大家族で、父親は社会事業家としても知られ、高いレベルの日本式教育と漢学者の家庭教師による漢文教育を受け、台北高等学校、東京帝大文学部（東大）へと進学した。

戦況悪化のため卒業前に帰台を余儀なくされ、そのまま終戦を迎えた。新たに支配者としてやってきた国民党政権の圧政の中で、何とか台南一中の教師の職を得た。演劇に傾倒し、生徒たちの演芸会のために脚本、演出を行なったのだが、その演劇で国民党政権諷刺の描写を入れたため、教育処から厳重注意を受け、要注意人物となっていた。

育徳には仲のよい兄、育森がいた。優秀な育森は東大法学部を卒業、本来なら日本で検察官になる道も開かれていたが、台湾のために役立ちたいと帰台。国民党施政下で北京語を早々に習得し、新竹市検察局の検察官となっていた。だが、正義感の強い育森は腐敗に染まらず、新竹市長の汚職事件を摘発し失敗して辞職に追いやられる。やがて１９４７年２月28日の２・28事件が発生。この事件より以降、全台湾で国民党による台湾知識青年狩りの白色テロが巻き起こり、育森もその犠牲となった。育森の遺体は最後まで見つかっていない。

兄の死、そして同僚教師や教え子がつぎつぎと逮捕される中で、命の危険を悟った育徳は１９４９年７月、旧友の香港に住んでいた邱永漢を頼って香港経由で日本に亡命した。ちなみに邱永漢は香港で執筆した小説で直木賞を受賞して日本初の外国人直木賞作家となるのだが、こ

2.28事件が発生した場所（現・台北市大同区）

のころは国民党に指名手配され、香港に逃亡し、廖文毅のもとに寄宿していた。

夏休み旅行を装って香港まで飛んだあと、香港から英国貨物船に潜んで日本に密航。神戸には台湾との貿易業を営む姉夫婦がおり、彼らの支援で日本で暮らせる条件を整えた。終戦のごたごたで休学した東大も滞納していた学費を納め復学、妻子を呼び寄せた。以降、王育徳が生きて台湾に戻ることはなかった。１９５４年、日本での政治亡命が認められた。

復学後、育徳は母語・台湾語の研究を行う。台湾人は中国人と違う、台湾は中国の一部ではない、それを証明するには台湾語のアイデンティティを証明せねばならない、と考えたからだった。同時に台湾独立という目標を忘れていなかった。密入国状態のまま復学を許した東大の恩師たちに迷惑をかけまいと、在学中は学問に専念した。『台湾語常用語彙』辞典を出版したことは言語研究者としての一つの大きな功績だ。

## ◆蔣介石独裁下の台湾の情勢を解説

きっかけは1959年の正月、台南一中教師時代の教え子の黄昭堂が自宅を訪れたことだった。黄昭堂は同年春から東大に留学に来たのだった。故郷の台南では王育徳は殺された、という噂もあったが、東京に来た黄昭堂は、人づてに恩師の健在を聞き、駆け付けたのだった。

当時、台湾人男性の留学は大学か専門学校を卒業し、兵役を終えた後に留学試験に合格しなければならなかった。留学の目的は、純粋に学問のためというよりは蔣介石独裁からの逃亡であり、事実上の政治亡命だった。だから黄昭堂も祖国・台湾に二度と戻れないかもしれないという覚悟で日本に来た。

2人はすぐに意気投合し、台湾を中華民国体制から独立させ、自分たちが帰国できる国にしようと決心したという。1960年2月28日、黄昭堂を含む台湾人留学生5人とともに、先述の台湾青年社を立ち上げ、同年4月10日に『台湾青年』を創刊させた。A5版50ページ2段組。台湾人留学生や在日台湾華僑に配り台湾人意識を啓蒙し、台湾独立に向けたコンセンサスを醸成することが狙いだった。編集会議、発送作業などは豊島区千川の王育徳の当時の自宅で行われた。資金は募金で賄われた。育徳本人が台湾華僑の店や企業を回って資金援助を募った。蔣介石の恐怖政治に怯える台湾人留学生や台湾華僑は当初はこうした政治運動雑誌と距離を置こうとしていたが、王育徳の人となりに触れて、賛同者は増えていった。

当時ほとんど知られていなかった蔣介石独裁下の台湾の情勢を、この雑誌ほど詳しく解説した刊行物もほかにはなかった。１９６１年1月の第6号は「二二八事件」特集だった。これは2・28事件の状況を詳細に記述した当時、世界初の刊行物であったという。徐々に台湾留学生にこの雑誌が浸透し、また日本人学者やマスコミにも注目されるようになった。

この後、許世楷、周英明、王義郎、郭嘉熙、王天徳、宗像隆幸、金美齢、林啓旭、侯栄邦、張国興、黄文雄ら主要メンバーが加わってゆく。ほかにも多くのメンバーがいたが、当初は命の危険も覚悟せねばならない独立運動だけに、脱落していく者のほうが多かった。のちに詳述するが、国民党スパイ事件・陳純真事件や幹部の強制退去問題の林啓旭・張栄魁事件で、黄昭堂らも日本警察に逮捕されたことがあった。

当初は学生メンバーは皆、匿名のペンネームで寄稿していた。後世に主要メンバーとして伝えられている多くは、それだけ優秀で誠実でタフな人たちであり、多くが後継組織の台湾独立建国連盟の幹部メンバーとなっている。

## ◆日本の左派からも右派からも理解されず

1960年代から90年代の雑誌『台湾青年』を舞台にした物語は、それだけで一冊でも描き切れない青春群像ドラマであり、東アジア近代史研究やアジアの民主化研究のテーマとしても何本分もの論文に値するボリュームだろう。

日本では当時、1960年の安保闘争から1968―70年の全共闘運動大学紛争と、学生運動真っ盛りだった。台湾青年の学生運動はこうした日本の学生運動にも影響を受けた。1963年に台湾青年社から台湾青年会へと名称を変更、中央委員会が設置され、運動体として組織改革された。中文の『台湾青年』が発行され、海外の台湾人留学生との連帯も模索され、海外支部もできた。

だが日本の学生運動は左派であり、「台湾は中国の一部だ」という中国共産党の主張を鵜呑(うの)みにしている。

一方、右派の自民党政治家や資本家たちは、蔣介石の『以徳報恩』プロパガンダに染まり、国民党支持者が多かった。日本では言論、運動の自由空間はあったが、日本社会から理解と支援を受けることは難しかった。こうした孤立無援の困難の中、それでもいくつかの国際的な事件においてドラマティックな活躍を成し遂げている。

そのいくつかに触れておこう。

## ◈彭明敏の台湾脱出作戦

2020年7月6日、宗像隆幸氏が亡くなった。享年84。私はその訃報をずいぶん後になって知った。コロナの最中ということもあって、「宗像隆幸さんを偲ぶ会」は2年後の4月24日に都内で開かれた。私は出席できなかったのだが、評論家で親交のある宮崎正弘氏が「偲ぶ会」で配布された小冊子を持ち帰ってくださった。

宗像は『台湾青年』主要メンバーにおいて唯一の日本人。そして2002年の停刊まで「台湾青年」の編集責任者だった。その関わりのきっかけは、たまたま許世楷の友人であったというだけのものだった。なのに、生涯を『台湾青年』と台湾独立運動に捧げ、時に危うい橋も望んで渡った。小冊子でその生い立ち、人となりがコンパクトにまとめられていたのだが、宗像の『台湾青年』における活躍として2つの事件を紹介している。

一つが「彭明敏台湾脱出作戦」だ。

彭明敏（1923―2022）は著名な台湾の国際法学者で独立運動家。父親・彭清靠は、2・28事件で、高雄屠夫と呼ばれた虐殺者・彭孟緝（高雄要塞司令）と市民を守るために交渉に当たった処理委員の中で、人質に取られた4人のうち射殺されずに生き残った一人。日本に留学経験のある台湾エリートの代表格の一人であり、1996年の台湾における初の総統選で民進党候補として李登輝と総統の座を争ったことでも知られる。陳水扁政権時代には総統府上級顧問にも任命された。彼が90年代以降、台湾政治に貢献できたのは、宗像隆幸の人知れぬ活躍があってこそだった。

彭明敏は台湾大学政治学部教授時代の1964年、「台湾人民自救運動宣言」を執筆、教え子の院生、謝聰敏、魏廷朝とともに印刷したことで、懲治叛乱条例違反で逮捕された。この宣言は「『大陸反攻』が絶対に不可能であることを確認し、蒋政権を倒し、1200万人の力を結集して、省籍を問わず、誠意をもって協力し、新しい国家を建設し、新しい政府を成立させる」「新憲法を制定し、基本的人権を保障し、国会に対して責任をもつ効率のよい政府を成立させ、真の民主主義を実現する」といった内容で、のちに全米台湾独立連盟の宣言文として『ニューヨーク・タイムズ』にも掲載され、米国が台湾関係法を整備するうえで影響を与えるなど、台湾独立運動においては重要な意味をもつようになる。

彭明敏は懲役８年の実刑判決を受けたが、アムネスティ・インターナショナルの働きかけもあり、釈放された。だが、厳しい特務機関の監視下に置かれ、いつ暗殺されてもおかしくない状況だった。彭明敏の命を守るには台湾を脱出させるしかない。彭明敏と宗像には接点がなかったが、共同通信の横堀洋一記者が両者と親しく、また東大の国際政治学者の衛藤瀋吉（えとうしんきち）教授が彭明敏と黄昭堂の両者と旧知の仲だった。

宗像と黄昭堂、横堀らが香港在住の米国人宣教師を介して、彭明敏の台湾脱出への協力を引き受けることになり、彭明敏のパスポートを偽造して出国させる作戦を考えた。

宗像の友人が台湾に行き、そのパスポートの写真を彭明敏のモノとすり替える。写真についている凸凹の割り印を液体プラスチックと針とノミを使って手作業で偽造したのは、宗像だった。精巧に割り印を偽造した彭明敏の写真や航空券を預かって宗像の友人が台湾に渡り、写真を張り替えて彭明敏に航空券とともに渡した。彭明敏はその友人になり代わって１９７０年１月３日、台湾から、香港、バンコク、タシュケント、コペンハーゲンを経由して亡命予定のストックホルムに到着した。

彭明敏のコペンハーゲン出国を確認したのち、その友人はパスポート紛失届を台湾の日本大使館に出した。彭明敏は、民国当局にまったく知られることなく台湾脱出に成功したのだった。この作戦発案から成功までおよそ1年を費やしたという。

彭明敏はその後、海外で亡命生活を送りながら台湾独立運動に参加した。1992年に民国政府からの指名手配が解除され、台湾に戻り、民進党候補として初の総統選に出馬したり、陳水扁政府の上級顧問を務めたり、台湾選挙の国際委員会監視団・台湾公正選挙国際委員会を設立したりするなど、台湾の民主化に寄与し、2002年4月8日、98歳の生涯を閉じた。

彭明敏の生涯については『彭明敏：蒋介石と闘った台湾人』（近藤伸二著、白水社）の一読をお勧めする。

## 台湾独立建国連盟の台湾潜入作戦

もう一つ、宗像が関わった台湾人のための日本パスポート偽造作戦がある。台湾独立建国連盟幹部4人の台湾潜入を成功させた事件だ。

1960年に設立した台湾青年社は1963年に台湾青年会と改称し、1965年に台湾青年独立連盟となって、海外の台湾人留学生、台湾華僑らによる全米台湾独立連盟、欧州台湾独立連盟、カナダ台湾人権委員会、台湾自由連盟（台湾地下組織）など各国の独立連盟とのグローバルな共闘ネットワークを広げていた。1970年、それら各国独立運動組織が一緒になるかたちで米国に総本部を置く台湾独立建国連盟となった。初代主席は在米の蔡同栄（さいどうえい）。日本本部の委員長は許世楷が務めた。

1973年、台湾独立（建国）連盟主席になったのは、のちに台南市長にもなる張燦鍙（ちょうさんこう）だった。張燦鍙は1973―87年、1991―95年の2期主席を務め、1997―2001年まで台南市長を務める。

その張燦鍙が2度目の台湾独立建国連盟主席であった1991年、連盟本部を米国から台湾に移す計画が進んでいた。1975年に蒋介石は死亡し1987年に戒厳令も解除され、翌年、蒋経国（しょうけいこく）死去に伴い李登輝副総統が初の台湾人として総統に就任し、台湾政治社会状況が激変していた。だが、民国政府のブラックリスト入りしていた亡命台湾人たちにはまだ帰国許可が出ていない。1991年10月に台湾独立連盟台湾本部設立のために台湾へ潜入帰国していた王康陸（総本部秘書長）らが逮捕されていた。

そこで張燦鍙は、自分と周叔夜（連盟南米主席）、陳南天（連盟員、元台湾本部主席）、何康美（連盟欧州主席）の連盟幹部4人が台湾に潜入し、たとえ捕まっても獄中で闘争する、との決意を固めて、日本のパスポート入手を宗像に相談した。彭明敏のときには台湾脱出のための日本パスポート偽造だったが、今度は台湾潜入のために同じ仕事を行うことになった。

張燦鍙が12月10日の世界人権デーに台湾に現れるという広告が台湾現地紙に大々的に打たれていたので、台北空港で逮捕される可能性を考えて宗像は妻・瑞江を同行させた。予想どおり張燦鍙は空港で瑞江の目の前で逮捕された。

一方、別の便で台湾潜入に成功した何康美らは台北集会に登壇。周叔夜・南米本部主席も高雄集会で登壇に成功。台湾に入国できた妻から連絡を受けた宗像は、米国のしかるべき筋に情報を流し、その情報を受けてエドワード・ケネディ議員ら親台派議員が米国はじめ国際世論を喚起した。

張燦鍙らは予備内乱罪首謀の罪で起訴され懲役刑の判決を受けたが、世論を味方につけた台湾獄中闘争によって、翌年春には独立運動家のブ

台湾独立建国連盟・陳南天主席

ラックリストは廃止され、民国刑法第100条（予備内乱罪）が修正され、台湾独立の主張は言論の自由の範疇として合法化された。夏には政治犯取り締まりのための特務機関・台湾警備総司令部が廃止された。10月に張燦鍙らは釈放された。1992年、ブラックリスト入りしていた独立運動家たちは、ようやく故郷に戻れることになったのだった。

## 陳純真事件

『台湾青年』を舞台にした事件で1960年代、当時、日本社会も揺るがした事件がいくつかある。一つが陳純真事件だ。

1964年6月、『台湾青年』の秘密会員（匿名会員）だった早稲田大学4年生の台湾人留学生・陳純真が国民党の特務（スパイ）であることが、発覚した。陳純真はもともと普通の台湾人留学生だったが、父親の病気のために台湾に一時帰国した際、陳純真が台湾青年の秘密会員であることを把握していた国民党当局によって軟禁され、東京に戻り留学生活を続ける条件として、国民党スパイになることを強要された。

陳純真が東京に戻ってきた2月以降、台湾青年の活動内容が中華民国駐日大使館に漏れていることに気づいた台湾青年幹部らは密かに調査し、陳純真がいちばん疑わしいと考え、彼にわざと間違った人事情報を与えたところ、その間違った人事情報に基づく批判がその留学生に届いたことで、陳純真がスパイと特定された。当時台湾青年会中央委員長を務めていた黄昭堂と、委員の戴天昭、許世楷、廖春栄、柳文卿(りゅうぶんきょう)、王天徳、宗像隆幸が陳純真に対する査問会を四谷の本部で開いた。

このとき、ずっと仲間として信頼してきた陳純真に裏切られたことに我を忘れた戴天昭がナイフで陳純真に切りかかり、陳純真は肩を刺された。傷は幸い軽傷で、黄昭堂らによって病院に運びこまれすぐに治療を受けたが、陳純真は国民党の指示を受けて黄昭堂ら7人を傷害罪で刑事告発し、日本警察に傷害罪容疑で逮捕されてしまった。

当時、陳純真を査問委員会の現場に呼び出し、連れていったのは早稲田大学の先輩留学生にあたる金美齢とその夫の周英明であったことから、続いて周英明も証拠隠滅容疑で指名手配された。

このことを社会党の国会議員からいち早く教えられた金美齢・周英明は、自宅のアパートから逃亡した。『台湾青年』の発刊日が迫っていたからだ。黄昭堂ら主要編集メンバーが同時に逮捕されたため、責任をもって発刊できるメンバーは周英明、金美齢、鄭飛竜しかいなかった。自分たちの身柄が押さえられるわけにはいかない、ということだ。

このときの逃亡先が赤坂プリンスホテル（旧館）しか思いつかなかった、というのが金美齢氏らしい。深夜2時過ぎに予約もなく赤坂プリンスに駆け込み、何とか『台湾青年』発刊まで逃げおおせた。

主要メンバー7人が逮捕されても無事に『台湾青年』が発刊されたことは、当時の台湾知識人、留学生らを大いに勇気づけ、『台湾青年』への期待をさらに高めることになった。この後間もなく、『台湾青年』は隔月刊誌だったのが月刊誌に昇格する。

黄昭堂ら7人は懲役2年から8カ月の有罪判決を受けたが、全員3年の執行猶予が付いて、仮釈放された。その後、周英明は「僕をお捜しですか」と警視庁に自首したが、2日間拘留されたのち起訴猶予となり、釈放されたのだった。

この後、国民党政府は日本政府に圧力をかけたが、執行猶予を受けた黄昭堂ら6人と周英明に対する在留特別ビザは取り消されなかった。日本政府内に、台湾人の人権問題に対する理解が働いたのだろう。

だがこの事件を契機に、国民党政府はあからさまに台湾独立運動の青年たちを強制送還させようと、日本政府への圧力を強めていくのだった。

## 林啓旭・張栄魁強制送還未遂事件と柳文卿強制送還事件

1967年8月14日、台湾青年独立連盟中央執行委員だった林啓旭と張栄魁はオーバーステイの通知を受けて、在留特別許可の延長手続きをしに行ったところ、4月26日以降の在留ビザ切れを理由に収容され、8月25日、台湾への退去強制令書が発布された。当時、こういうかたちで台湾人青年の強制送還が増えており、送還されたものは政治犯として重刑に処され、処刑の危険もあった。

林啓旭が明治大学大学院の教え子だった関係で、国際法の権威であった明治大学教授の宮崎繁樹が、すぐに日本政府に抗議の声を上げ、強制送還を阻止するために行動を開始した。作家の平林たい子氏、阿川弘之氏、自民党の水野清議員ら47名が「張栄魁・林啓旭両君を守る会」を結成し、街頭演説などで世論を喚起、また林啓旭と張栄魁も収容所内でハンガーストライキを行い、抵抗。身体衰弱のため9月2日に都内の病院に搬送された。9月4日、林・張両者の代理人による異議申し立て裁判で、強制退去令書の取り消しが決定した。

この事件の直前、台湾への強制送還を悲観した台湾人青年・呂伝信が収容所内で首をつって自殺するという悲劇もあった。

その翌年の１９６８年、柳文卿事件が起きる。やはりオーバーステイを理由に、同年３月27日夕、在留延長手続きのために入管に出頭した台湾青年独立連盟中央委員だった柳文卿が身柄拘束された。しかも異議申し立てをする間もなく、28日午前９時半離陸の中華航空に乗せられ台湾に強制送還されるという。柳文卿が入管で収容された一報を聞いて、連盟メンバーは考えつく限りのツテを頼った。

金美齢氏は一度だけ通訳を請け負ったことがある岸信介・元首相の南平台町の自宅を、許世楷とともに28日午前２時ごろに訪れ、呼び鈴を押し続けたことを自著『美しく齢を重ねる』（ＷＡＣ刊）の中で回想している。この呼び鈴に誰かが応じることはなかったという。翌朝一に裁判所に強制送還差し止めの訴状を提出し、裁判所から入管に電話をかけてもらったが故意にたらい回しにされ、入管にはつながらなかった。

柳文卿は羽田空港で舌を嚙み抵抗し、また連盟のメンバーが離陸間際の空港に駆け付けたが間に合わなかった。柳文卿は口から鮮血を吹きだしながら、飛行機に押し込められ、羽田空港の滑走路内に進入して離陸を阻止しようとした黄昭堂ら10人も逮捕された。その様子は、日本の新聞でも大きなニュースとなった。

## ◆日本政府と中華民国政府との密約

この事件の背景には、日本政府と中華民国政府との密約があった。当時の日本には麻薬犯罪に関わった台湾人が二百数十人収容されており、日本政府は民国政府に彼らの引き取りを求めていた。民国政府は台湾人薬物犯罪者を引き取る代わりに、日本で活動している反体制派台湾知識青年たちの引き渡しを要求したのだった。これに応えるかたちで、民国政府のブラックリストに載っている6人の台湾独立活動家に対しては、日本政府はビザを更新しない方針を決めていた。この密約を暴いたのは、社会党の国会議員、猪俣浩三(いのまたこうぞう)である。

猪俣の回想によれば、柳文卿が強制送還されたのち、許世楷は猪俣浩三を人づてに訪ねてきて、国家で質問してくれるように頼んだという。

1962年、メーデーに毛沢東の招待を受けて天安門楼上にも上ったこともある猪俣は親中派代議士と見なされていたが、人権派弁護士としても著名だった。人道的問題として国会の委員会で質問し、台湾独立運動家の強制送還の背後に、日本政府と中華民国政府による密約があることを暴いていった。

1967年10月3日に当時の法務相・田中伊三次(いさじ)と中川進入管局長が訪台しており、麻薬密輸などで収容された台湾人二百数十人の引き取りを条件に、台湾独立運動家の在留特別ビザを更新しない約束をしたのではないか、1人独立運動家を送還すると、麻薬密輸犯30人を引き取るという約束があったと思う、という質問に、中川入管局長は「そういう約束をした覚えは全然ない」と言いながらも「誠意を示す意味から、私どもの方からオーバーステイになっている中国人がたくさんいるから台湾に引き取っていただきたい、ということは申し上げた」という表現で、密約があったことを窺わせた。

のちに許世楷の調べでは、民国政府は台湾独立運動家6人の引き渡しを要求しており、1番目が柳文卿、2番目が許世楷自身が強制送還される予定だったという。

猪俣はさらに、強制送還後の柳文卿の安全の保障についても質問し、柳文卿の身の安全と自由への保障の言質を取った。その保障の根拠は、中華民国駐日大使館からの日本入管局宛ての2月7日付の覚書の「台湾独立運動をなしたものに対し、過去の如何を問わず処罰しないという寛大な精神を執っている」という一文だった。入管側は柳文卿が台湾に到着後、空港で両親と一緒に撮った写真を提示した。だが、こうした学生運動家の引き渡し後の安全保障の言質や家族写真などは、民国政府側の日本世論批判に対応するための「芝居」であったともいわれている。

## 陳玉璽事件とアムネスティ・インターナショナル

柳文卿事件が猪俣らに追及された過程で、同じ時期に発生していた陳玉璽（ちんぎょくじ）事件の存在も明らかになった。

陳玉爾は米ハワイ大学に留学していたが、ベトナム反戦運動関係者と接触があり、米国ビザの延長を拒否され、日本にやってきた。独立運動派ではないが、毛沢東の革命を支持するような言論活動をやっており、やはり台湾に戻るには身の危険があった。

日本では当時、著名であった親中派ジャーナリスト、川田泰代を頼っていたが、川田が知らないうちに、陳玉爾は台湾に帰国していた。川田は自分の意思で帰国したと思っていたが、4月に陳の父親から手紙を受け取り、2月に日本から強制送還され、軍事裁判所の審理を待っている状況であることを知らされた。折しも柳文卿事件を国会で追及していた猪俣に、川田が陳玉爾事件についても相談を持ち掛け、また台湾青年独立連盟の宗像隆幸にも助力を求めた。さらにアメリカのアムネスティ・インターナショナル（ＡＩ）が支援活動を開始した。

この一連の動きが、のちにアムネスティ・インターナショナル日本の設立につながることになる。

## 「ブントに尊敬できる方は大勢いた」

以上の流れは、２０１４年『広島法学』38巻2号の「柳文卿・陳玉爾事件とアムネスティ・インターナショナル日本の設立」（前田直樹）の論考や『台湾青年』４１６（１９９５年、林啓旭記念号）、私自身が許世楷氏や金美齢氏らから直接聞いた話などを突き合わせながらまとめた。

「張栄魁・林啓旭両君を守る会」は「在日台湾人の人権を守る会」として柳文卿強制送還問題への世論喚起のための活動を行い、メディアも盛んに報じたことから、その後、台湾人知識青年の強制送還事件は起きなくなった。

『台湾青年』は、在日台湾青年たちの個別の人権擁護だけでなく、良心の囚人たる政治犯引き渡し問題への世論を喚起し、アムネスティ・インターナショナル（ＡＩ）日本という日本の政治犯減刑・釈放の取り組みの基礎となる組織の設立につなげる、という大きな貢献を成し遂げた。

ＡＩ日本の初代理事には猪俣浩三、許世楷、宗像隆幸、川田泰代、中村哲（あきら）（法政大学総長）、中村敦夫（俳優、陳玉爾を守る会世話人）、宮崎繁樹、鶴見良行（評論家）、石野久夫（社会党衆

院議員）、穂積七郎（社会党衆院議員）、小沢正元（日中友好協会事務局長）、白西紳一郎（日本国際貿易促進協会事務局、のちに日中友好協会事務局長）、渡辺道子（弁護士、のちに日本ＹＷＣＡ理事長）、西田公一（弁護士、後に第二東京弁護士会長）。

いわゆる左派、親中派と許世楷や宗像隆幸の名前がともに並んでいるのが興味深い。ＡＩ日本発足当初、許世楷ら台湾独立派の名前が理事に連なっていることには、同じ理事の社会党議員から抗議も受け、パンフレットの許世楷と宗像の名前を黒塗りにしたりもしたという。だがＡＩ日本設立の契機に、台湾独立運動家たちの戦いがあったという事実を消し潰すことはできなかった。

羅福全・元台北駐日経済文化代表処代表

私は、民進党政権で台北駐日経済文化代表処代表を務めたこともあり、若かりしころに台湾独立運動に身を投じたこともあった羅福全氏、許世楷氏とたまに食事会などでお会いして雑談することがあったが、そのとき『台湾青年』の独立運動と、日本の左派の学生運動との共通点と違いなどについてお伺いすることがあった。印象に残っているのは、お二人とも、当時の「左翼」と呼ばれた学生や言論人について、「ブントに尊敬できる方は大勢いた」と言っていたことだった。

## 李登輝総統の誕生

日本の暴力的な学生運動はやがてセクト主義に陥り、運動そのものが瓦解していく中で、理想を失い、現実にも適合できない脱落者の集まりとなっていった。60年代の日本の学生に大いに刺激を受けた台湾独立運動だが、70年代には日本が「こういう道を辿（たど）ってはならない」という反面教師になっていったという。

やがて中国が国連加盟し、日米との国交を正常化し、中華民国が世界の孤児になっていく過程で、「中華民国体制を打倒して独立」という目標の意味は徐々に消失していく。なぜなら、中華民国体制の中から、民主と自由を実現するパワーが誕生するからだ。すなわち李登輝総統の誕生である。

私が李登輝氏とお会いしたのは、２００２年春と２０１１年9月で、一つは新聞各社の論説委員が招待されるプレスツアーとしての表敬訪問であり、もう一つは金美齢氏が主宰する3・11東日本大震災の台湾からの寄付への感謝を表明するツアーでの訪問だ。短い挨拶を交わし握手した程度であり、深いインタビューをしたわけでもないが、とにかく「本物」に会えた！　と興奮したことは覚えている。

李登輝に関する書籍は日本語でも山のようにあり、そうした李登輝本の著者は、おおむね李登輝という人物にほれ込んでおり、クリスチャンで、一点の曇りもない人格者に描くきらいがある。一方で、清濁併せ呑む老獪な政治家イメージで語る人も多い。ただ、台湾の民主化の歴史で決定的な偉業を成し遂げた最重要人物という評価は、どのような角度から李登輝を分析しても共通するだろう。

産経新聞時代の先輩であり、やはり李登輝にほれ込んでいた河崎眞澄記者は、念願であった『李登輝秘録』（産経新聞出版刊）を2020年7月、まさに李登輝が没する間際に上梓した。病床で本人が確認した李登輝の人生や哲学に関する最後の本であり、河崎記者のことであるから、過去の李登輝本人が書いた書籍も含めてほとんど参考文献として網羅されたものであると見て、主にこの本を参考に、哲人・李登輝がどうやって台湾の民主化を成し遂げたか、振り返ってみたい。

## 靖国神社に祀られた兄

李登輝は1923年、日本統治時代の台湾の淡水郡三芝のエリート警察官家庭の次男に生まれる。父方は福建省出身の客家の系譜で比較的経済的に恵まれた環境だった。台湾総督府が日本語普及のために創設した公学校に、「岩里政男」の日本人名を与えられて通い、日本語と日本的道徳教育を受けて育った。本人も「22歳まで日本人だった」と語り、晩年まで日本人客と対面するときは流暢な日本語で応対していた。中学を首席で卒業し、日本内地の旧制高校に準ずる台北高校に進学。1942年、京都帝大（京大）農学部に進学した。台湾の製糖産業育成に携わった新渡戸稲造も教鞭をとっていた大学だったからだ。李登輝は新渡戸の著作『武士道』に大いに傾倒し、進学先を選んだのだという。

戦況が悪化する中、1944年に学徒出陣で出征した。本人は歩兵となって最前線に行くことを望み、上官にそう言って笑われたという。1943年9月、李登輝が敬愛する2歳年上の兄で警官の李登欽（日本名、岩里武則）が海軍特別志願兵に合格していた。当時、台湾本島出身者が軍に志願することは立派な日本人として認められるための一つの在り方で、旧日本軍への従軍は台湾青年の憧れでもあった。

李登輝はいったん高雄で基礎訓練を受け、その後千葉陸軍高射学校に見習士官として配属された。その直後の1945年3月10日の東京大空襲に遭遇。千葉上空を飛ぶ米軍機に高射砲を撃ったという。翌日、戦死した小隊長に代わり被災地の救援を指揮した。こうした旧日本軍における経験はのちに、総統となった李登輝が1999年の921台湾中部大地震の被災地救援指揮や、中国の軍事的脅威に脅かされた台湾防衛のための決断などに役立ったという。

兄の李登欽は1945年2月、フィリピン海で米軍戦闘機の機銃掃射を受けて艦上で戦死したという。遺体は艦とともに沈んだが、その魂は靖国神社に祀(まつ)られた。のちに李登輝が兄の慰霊のために靖国神社に参拝できたのは2007年6月、およそ62年の時を経てからだった。李登輝は名古屋で終戦を迎え、終戦とともに少尉に昇進した。日本名に「武」のつく兄が戦死し、「政」の文字を名前にもつ自分が生き残ったことに運命を感じたのか。戦後、李登輝は台湾人として、新たな台湾再建の道を選んで進むことになる。

## 国民党の支配に対する失意と反発

終戦とともに日本国籍を失った李登輝は翌年の1946年1月、横須賀の海軍工廠(こうしょう)などで働いていた台湾少年工のための帰国船に同乗して台湾に戻った。待ち受けていたのは国民党軍に支配され、荒廃した故郷だった。台湾人は、日本の植民統治から解放され、戦勝国・中華民国の民となったことを「光復」と喜んだのもつかの間、支配者としてやってきた国民党兵士の民度の低さ、粗暴さに幻滅が広がった。

やがてその失意と反発が、1947年の2・28事件を引き起こし、それが国民党による恐ろしい白色テロ時代の幕開けとなる。李登輝は2・28事件に反発する学生運動などにも参加したという。当時、李登輝は国民党への憎悪から共産主義にも傾倒していたと、自ら述べている。国民党の知識青年狩りに李登輝が遭わなかったのは、知人たちが必死に匿(かくま)ったからだろうが、それも幸運と言わざるをえない。

そのような厳しい時代の中で、李登輝は台湾大学に編入し、卒業後は同大学農学部で助手として研究を続けた。妻の曽文恵(そうぶんけい)と見合い結婚した1949年、国共内戦に敗れた蔣介石が台湾に政府をつくり、台湾全域に臨時戒厳令が敷かれた。2回の米国留学を経て1969年まで、李登輝は農業経済学者として地道なキャリアを積み、専門家として農政実務を担当することはあっても、「政治家」を志しているわけではなかった。

## ある日突然、憲兵隊に連行される

学者・李登輝が政界の道に進むきっかけとなったのは１９６９年6月、憲兵から取り調べを受けたことだという。１９９８年、留学先の米コーネル大学で書いた博士論文「台湾における農業と工業間の資本移動」が米農業経済学会で最優秀論文に選ばれ、李登輝の学者としての名声は高まり、帰国後、台湾大学教授と兼務するかたちで、台湾政府の農村復興聯合委員会の官僚に復職していた。

そんな李登輝の元に、ある日突然、銃を構えた憲兵隊が早朝にやってきて李登輝を連行したのだった。特務機関の警備総司令部で人間関係、勤務先や留学先での出来事を何日にもわたって訊問された。質問の核心は共産党との関係であったが、最終的に何ら怪しいところはないと判断されたのであろう、１週間後に無罪放免となった。訊問官から「お前みたいな男は蔣経国以外、使ったりしない」と捨て台詞を言われた、と李登輝自身が回顧している。

李登輝自身は、米国留学中に台湾の独立運動家でのちに蔣経国暗殺未遂事件を起こす黄文雄（日本在住の台湾人評論家とは別人）や鄭自才らと交流があり、また日本で『台湾青年』を発行していた王育徳を秘密裏に訪問したりしたこともあったのだから、まさにこのまま、逮捕されて軍事裁判にかけられていても不思議はなかった。この一週間の訊問で、死をも覚悟した恐怖の経験から、李登輝は政治を変えて、こうした白色テロの恐怖を終わらせなければならないと強く思ったという。

## 「大陸反攻」の夢物語から現実的な「国造り」に集中

釈放後間もなく、李登輝は農村復興聯合委員会の官僚として蔣経国に農業問題に関するリポートを行う機会を得て気に入られ、経済学者でもある王栄作の推薦を得て国民党に入党する。さらに1972年6月、行政院長に就任した蔣経国は農政担当の政務委員（無任所大臣）に李登輝を指名した。

この知らせを出張先のニュージーランドで受けた李登輝は、おそらく1969年6月の憲兵による訊問は、蔣経国が農政学者・李登輝を将来的に登用する前段階の身上調査ではなかったかと、このとき思い至ったのだった。そのくらい米国帰りのエリート農政学者、李登輝の才能は当時の台湾で注目されていたということかもしれない。

中華民国が国連を脱退せざるをえなくなり、国際社会の孤児となったとき、老いた蔣介石に代わり台湾の実権を握った蔣経国は、「大陸反攻」といった夢物語ではなく、現実的な台湾の「国造り」に予算と権力を集中させた。その一つが農業振興であり、その主流人材として本省人ではあるが、米国帰りの著名エリート農政学者・李登輝を抜擢したのだった。

1972年に誕生した蔣経国内閣では、閣僚26人中8人が李登輝のような台湾本土出身者、本省人だった。大陸出身の外省人を主流とする国民党内では本省人は差別対象であったが、蔣経国は中華民国の大陸反攻がすでにありえない夢に終わる以上、政権の台湾化が国民党の生き残る道であると考えた。おそらくは国民党リーダーに本省人がなる未来も視野に入れて、李登輝のような台湾本省人エリートを重用したのだろう。

## 台湾省全体の行政を担う

1975年4月5日、蔣介石が87歳で死去。憲法規定によって副総統の厳家淦（げんかかん）が一時的に総統になるも、1978年に蔣経国が総統の座を引き継ぎ、李登輝を台北市長に任命した。中央直轄市台北市長ポストは、国民党にとって政務委員よりも格上ポストだ。李登輝が政治家として本流を行くことが決定したということでもあった。そして蔣経国総統のもとで、台湾省主席、副総統のポストへと上っていくのだった。

台北市長時代は李登輝が行政手腕を党内で示し、それ以上のポストに上がっていく実力を備えていることを見せつける時期でもあった。3年の市長経験の間、翡翠（ひすい）ダム建設による水不足問題の解決をはじめ大きな実績を示した。その後、台湾省主席に引き上げられる。都市部と農村、漁村、山間部を含む広大な台湾省全体の行政を李登輝に任せるということだった。

農業と工業を同時に成長させるという李登輝が過去に書いた論文を実践に移せる現場でもあり、実際、稲作転作など台湾の農業発展を促す数々の政策を打ち出し成果を上げた。台北市長、台湾省主席としての外遊もこなした。また、米国留学経験があり、61年から敬虔なクリスチャンでもあった李登輝は、国際社会で孤立する台湾の外交空間も広げていく。米国のケンタッキーやコロラド、ミシシッピ、ネブラスカ、アーカンソー、アラバマ、カリフォルニアの農業・畜産業の盛んな州と「台湾省」で姉妹州関係を結び、経済貿易、農業・畜産協力を促進させる実務外交を展開していった。

こうした実績を積む間、李登輝は派閥にも属さず、党内の権力闘争にも与せず、ただ蔣経国の庇護のもと、忠実に実務に専心していった。そして１９８４年、李登輝は副総統という国民党ナンバー2の地位まで上る。そして１９８８年1月13日、蔣経国が持病の糖尿病の悪化で77歳でこの世を去るとともに、李登輝総統が誕生するのである。

## 蔣経国の抜擢意図

李登輝総統を誕生させたのは、蔣経国の計画であった、という見方がある。蔣経国が李登輝を見出し、国民党を託すべく、実績を積ませ一流の政治家として育て上げた、というものだ。

この件については、李登輝自身が、わからないと語っている。李登輝が台湾省主席時代の1982年、長男・憲文(けんぶん)が32歳の若さで癌(がん)で亡くなり、李登輝が総統の権力を握っても、それを継ぐ男児がいないことで蔣経国が安心して李登輝を後継に抜擢できた、という説もある。

李憲文の若すぎる死は、様々な李登輝に関する伝記、評伝で涙を誘うエピソードとして語られている。ちょうど台湾省主席の激務に追われているころで、本当はつきっ切りで看病したいのを、李登輝の蔣経国からの寵愛(ちょうあい)を妬(ねた)む一部議員が、嫌がらせにいつまでも議会での質問をやめず、時間がとれなかったという。李登輝は、憲文の亡骸(なきがら)を冷たいストレッチャーに乗せるのを拒否して自ら抱き上げて運んだほど、その死を悼(いた)んだ。

蔣経国が李登輝を総統として自分の後継にするつもりであり、台湾の民主化を望んでいたのかは定かではないが、1984年、すでに重度の糖尿病で病床にいた蔣経国がわずか党歴12年の李登輝を、自らの強い意志で副総統に指名したのは事実だ。圧倒的独裁者の決定には誰も逆らえない。さらに85年12月の会議で「蔣家の人間が今後総統になることはない。軍の統治が出現することもない。私も台湾人だ」と発言した。

## ソ連国内の政治問題に翻弄される

1970年代、中華民国・台湾をめぐる国内外環境が激しく変化した時代だった。国連常任理事ポストを中華人民共和国に奪われ国連を脱退、日本は中華人民共和国と国交正常化を果たし、台湾と断交。79年には米国も中華人民共和国と国交を結び、台湾とは台湾関係法という特殊な関係を規定することになった。台湾の生命線は米国が握っており、その米国は台湾の民主化を後押ししている。1975年には蔣介石が死去し、明らかに中華民国は時代の岐路に立つことになった。

蔣経国は圧倒的独裁者、蔣介石の長男であり、長らく特務組織のトップとして台湾の独立派人士たちを弾圧し続けた張本人でもある。だが、非常な苦労人であり、徹底的なリアリストであった。

辛亥革命が始まる前、蔣介石がまだ何者でもなかったころに、最初の妻で、地元の商家の娘であった毛福梅（もうふくばい）に産ませたのが蔣経国である。上昇志向の強い蔣介石は、田舎娘の毛福梅が不満で、家の2階から突き落とすような暴力をふるったことも一度や二度ではなかったという。

蔣介石はやがて毛福梅と離婚し、蔣経国は蔣介石の命で上海の小学校に通うようになる。国際的に開かれた最先端の都市、上海で蔣経国は反帝国主義運動・共産主義運動に共鳴し、デモに参加したことで中学を退学処分となる。その後、北京に転校するが、そこでも共産主義に傾倒していき、旧ソ連への留学を希望する。

当時、第一次国共合作が成立しており、孫文の死去を記念して創立されたモスクワ中山大学に蔣経国が留学することは、蔣介石も後押ししたのだった。大学入学資格は国民党員であることなので、このとき国民党に入党する。1925年、15歳のときだった。モスクワ中山大学でさらに共産主義に傾倒し、共産主義青年団にも加入、一方、当時のモスクワではスターリン派とトロツキー派の権力闘争が本格化し、トロツキーに心酔していた蔣経国はソ連国内の政治問題にも翻弄される。

同じころ、中国では蔣介石による上海（反共）クーデターで第一次国共合作が崩壊し、蔣経国の立場は危うくなった。蔣経国はこのとき父に絶縁状をたたきつけ、共産主義青年団の息子の立場を取る。モスクワ中山大学を卒業後も、いわばスターリンの人質としてモスクワに残留することになった蔣経国はトルマトコフ中央軍政学院で学ぶ。

だが、蔣介石の息子として蔣経国を憎む中国共産党モスクワ支部長の王明らによる、ひどいいじめを受け続ける。トロツキー派の失墜とともに、蔣経国もトロツキー派から離脱し、軍政学院も優秀な成績で卒業するが、周囲の妬みや恨み、裏切りや悪意によって工場労働や寒村での農作業、アルタイ金鉱での肉体労働に長らく従事した。ウラル重機工場で働いていたころ、職場でロシア女性、フィアナと出会い結婚。子供をもうけ、束の間の安定した暮らしを送るが、やはり王明のいじめによってウラル重機工場の職を失い、その暮らしはどん底に突き落とされていた。

## きわめて冷静な独裁者

しかし、1936年12月に起きた西安(せいあん)事件(蔣介石誘拐)を契機に、第二次国共合作が進み、1937年3月、蔣経国は中国帰国を許される。帰国後、蔣介石の右腕として頭角を現していくのだった。

旧ソ連時代の過酷な体験を経て、蔣経国は陰謀と裏切りの中を生き抜く術(すべ)と、苦境に耐え抜く強靭(きょうじん)な精神、労働者、農民の中に入ってともに労働し、その支持を得る人徳を体得していた。国民党内で蔣経国は自分に絶対服従の強固な派閥を形成、それはのちに蔣経国をトップとする特務組織の中枢を担うことになる。

蔣経国が蔣介石の後継者の地位を確立するまでは、いくつもの挫折と激しい権力闘争があった。蒋介石の親衛隊ともいえる政治結社ＣＣ団の陳果夫、陳立夫兄弟も蒋介石の妻、宋美齢も政敵であった。国共内戦の敗北で総統を辞任せざるをえなくなり、さらには2・28事件に象徴される台湾人による国民党統治への抵抗を受けた蒋介石にとって、いちばん信用できるのはいつしか蒋経国になっていた。

国民党の台湾への撤退のプロセスで、蒋経国は特務組織の事実上のトップとなる。ちなみに、この特務組織がおよそ4万人の共産党地下組織を摘発したが、その95%が冤罪だったといわれている。そういう意味で、蒋経国もたしかに恐ろしい独裁者であったが、自分の権力欲に溺れることのない、きわめて冷静な独裁者であった。

## 蒋経国を選んだ米国

蒋経国を蒋介石の後継者にしたのは事実上、米国だといっていいだろう。

だが、当初、蒋経国は米国から警戒されていた。

１９６０年代、蒋経国の政治的ライバルは、日本から台湾を接収後、台湾省政府主席に蒋介石より任命されての初期の台湾政策を実施した陳誠であったが、陳誠は１９６５年で病に没する。蒋介石の妻の宋美齢は、政治的野心はあったものの、少なくとも米国のお眼鏡にかなうような政治実力はなかった。

1957年、米軍顧問団の軍事物資横流しの仲間割れに端を発するレイノルズ事件（国民党幹部研修センターの職員が米軍顧問団のレイノルズ軍曹に射殺される事件）を背景に起きた5・24事件（軍事法廷のレイノルズ無罪判決に抗議する成功中学生徒のデモが米大使館に押し入り、金庫をこじ開けて大量の機密資料を持ち去った事件）の黒幕が蔣経国とされたこともあり、蔣経国はもともと米国から要注意人物と見なされていた。

ちなみに、私はこの米軍顧問団に雇われたという「黄」という人物に、台北で会ったことがある。顧問団内部で正式に雇用された台湾人は、おそらく彼が唯一ではなかっただろうか。1950年生まれ、貧困により中学に進学もできず、しかし勉強が好きで、米軍のPX（売店）で靴磨きをしながら英語を覚えて米軍顧問団に気に入られて、わずか17歳の若さで軍事物資の管理のアルバイトに雇われた。そのまま正式に顧問団補給組・組官スーパーバイザーという肩書で雇用されることになった。

彼が軍事物資の管理の仕事を引き受けたのは、この横流し事件の10年ほどあとのことだが、その当時も米軍軍事物資の横流し問題はあり、彼がアルバイトから突然、正式の管理担当に任命されたのは、当時の補給組官がやはり横流しで解雇されたからだった。彼は小学校しか出ていない学歴で、1カ月1万7000新台湾ドルで雇用された。学校教師の月給が1000新台湾ドルの時代だった。

彼はいっさい汚職に関わらず、顧問団の信頼を得ていたという。具体的には全台湾の基地への生活物資、備品の分配管理を一任する仕事であり、業者と結託して、やろうと思えばその中間マージンを独り占めして巨額の富を築くことも可能であったろう。

まったく改竄せずに領収書を提出する彼の正直さに米軍が驚き、そのまま米国政府のために働かないかとスカウトしたというが、彼は最終的に、自分が台湾人として台湾のために生きることを選んだ。彼の人生や思想はじつに興味深いので、いずれ別の書籍でご紹介できることを願っている。

## 中華民国を外来政権から台湾の政権に変える

話がそれたが、そのころの米軍顧問団の軍事物資をめぐる汚職というのは常態的で巨額なものであった、ということを彼は強調していた。そして、米顧問団の上層部は蔣介石に対して何ら敬意をもっておらず、むしろ嫌悪していたということだった。蔣介石の悪口を言うことは、米軍基地内では何ら憚ることもなく、台湾人の誰もが恐怖を感じる独裁者が、米軍顧問団内では無知な子供のように軽く扱われていたことに当時、驚愕したと語っていた。

事実上、米軍に守られている蔣介石であったが、それは台湾という地政学上の重要な土地を押さえるためであり、蔣介石と米軍の間に信頼や友情はなかったという。むしろ、蔣介石も含めて当時の台湾人は、感情的には米国より日本のほうに親近感をもっていたという。そんな米国は、蔣介石が老いてきたとき、その後継者となる人物を慎重に見定めていた。

蔣経国は旧ソ連に学んだ政治工作、特務工作のトップであり、冤罪を多く生んだ非人道的人物、さらに5・24事件に関与していたことも明らかで、米国に好まれる人物ではなかった。だが事実上、彼以外に蔣介石の後継を務められる人物はいなかった。

そこでCIA分析官のレイ・クラインが1958年から62年にかけて台北に派遣され、蔣経国と家族ぐるみの付き合いを通じて、蔣経国という人物を観察し、また親米的、民主的な指導者になるようオルグした、ともいわれている。

このころ蔣介石は表舞台から姿を消し、国軍退除役官兵輔導委員会主任となって、米国の望む国民党軍縮小に協力した。軍のリストラは下手にやれば社会不安を引き起こす。米国が資金を出し、その資金をもとに公共事業プロジェクトなどを起こし、退役兵士の再雇用先とした。台湾山脈を貫く東西貫通道路建設は、困難な工事であったが、蔣経国自身が現場で陣頭指揮を取り完成、この経験がのちの国造りにもつながる。

クラインのGOサインを受けて、1963年に、蔣経国はCIAの招待で10年ぶりに訪米し、1965年に最大の対抗馬であった陳誠が没すると、蔣経国後継が確定した。そういう意味では蔣経国という後継者は米国が選んだ、ともいえる。だが、リアリストで苦労人の蔣経国自身も、中華民国、台湾が国際社会で存続していくためには米国の庇護を得なければならないことをわかっていたので、クラインに対して親米的な姿勢を強調していたのだろう。

蔣経国は中華民国の国連脱退後の翌年、1972年に行政院長（首相）に就任し、「大陸反攻」をスローガンに国家予算のほとんどを軍事に投入していた蔣介石路線と決別、「十大建設」という国造り路線に転換。この経済政策の大成功により、その後、台湾が外交的に米国と断交し、国際社会の孤児と呼ばれるようになったあとも、経済というパイプで各国とつながることで、完全には国際社会と切り離されずに済んだ。

この国造りプロセスで最も重要なことは、中華民国を中国からやってきた外来政権から「台湾の政権」にすることだった。蔣経国は人口の大半を占める台湾人を同化させるべく、政治の要所に李登輝のような台湾人エリートを抜擢する。1975年に蔣介石が没し、蔣経国が国民党主席となり、1978年に中華民国総統となった。

蔣経国がいつから李登輝を後継者とすることを考えていたか、確かな証拠はないのだが、李登輝は、苦労人でリアリストで疑り深い蔣経国が慎重にその実力を吟味し、育成した人材であることは間違いない。

## 「万年国会」状態に

蔣介石の白色テロ時代、独裁体制に抵抗する運動は主に海外で展開されてきたが、蔣介石が老いて蔣経国が実権を握るようになった70年代、台湾内の民主化運動が活発化しはじめた。

１９６０年代を振り返れば、総統改選時に、憲法でいちおう総統任期を２期までと規定していたのを、動員戡乱時期臨時条款の改訂によって蔣介石が３期目の総統を務めることになったとき、外省人知識人、エリートを中心とした雑誌『自由中国』が抵抗した。

『自由中国』はもともと共産党批判、旧ソ連批判の論調を主とする雑誌だったが、次第に国民党の独裁体制に矛先を移し、野党・中国民主党をつくり、中華民国の民主化を目指す動きを見せだした。蔣経国側はこれに「中国共産党の暗躍が背後にある」とデマを流すことで米国の介入を封じ、１９６０年に『自由中国』編集長の雷震を共産党のスパイとして逮捕し、この動きを弾圧した。これで中華民国体制内からの政治改革の芽はいったん潰された。

その4年後の1964年、台湾人（本省人）の台湾大学教授、彭明敏事件が起きる。のちに李登輝と総統選を争う民進党候補にもなった彭明敏が台湾から脱出できた背後に、日本の『台湾青年』の編集者、宗像隆幸の活躍があったことはすでに述べたとおりだ。結局、反独裁の台湾人たちは海外を拠点にして運動を続けるしかなかった。

だが、1970年代末に「党外運動」というかたちで民主化希求の動きが盛り上がってくる。それは蔣介石が死に、米国と中華民国が断交し、海外の台湾民主化人士の活躍を米国や日本などが好意的に見守る中で、国民党独裁の正統性が揺らぎ始めたタイミングでもあった。

1970年代、党外人士（国民党以外の人士）による野党結成の最初の動きは、78年の中央民意代表機構の定員増加選挙のときに起きた。

中華民国の民意代表機構としては、1947年の中華民国憲法制定以来、国民大会、立法委員会と監察委員会があった。だが、台湾があくまでも中華民国台湾省という地方にすぎないという虚構を主張し続ける以上、メンバーの改選は行えない。台湾地区代表以外の代表が選ばれえない状況で改選を行えば、中華民国がモンゴルやチベットを含む中華全土の主権を主張し、大陸反攻を主張する根拠を失うことになる、というわけだ。それで民意代表機構は、大陸反攻が成功して中華全体の領土を取り戻すまで改選が行われない「万年国会」状態になった。

さらに１９４８年から動員戡乱時期臨時条款により戒厳令が制定され、選挙の行われない状況に法定根拠が与えられた。この状況が蔣介石と国民党の独裁状況を生み出した。

## 国民党統治下における初の民主化デモ

だが台湾の人口が増え、第１期メンバーの老化も顕著となっていく中で、国民大会代表と立法委員については欠員補充、人口増に従う補充というかたちで定員増加選挙が定期的に行われることになり、その選挙についてのルールは１９６６年の動員戡乱時期臨時条款改正で追加された。１９７２年のさらなる条款改正では、増加された代表だけ定期的に改選され、一期目の代表、委員は改選されないこととなっている。

１９７８年に行われる増加定員選挙で、党外人士として姚嘉文、呂秀蓮らが立候補し、この選挙運動を支える「台湾党外人士助選団」が形成された。中心メンバーは黄信介、林義雄、施明徳、いずれものちに民進党創設の主要メンバーとなる民主活動家たちだ。彼らによる討論会、記者会見、ビラ配りなどの運動により、党外人士の当選の可能性は高くなっていった。

だが折しも、米国と台湾の断交が発表され、蔣経国は動員戡乱時期臨時条款を根拠とした緊急権を発動し選挙を延期した。これに許信良、余登発ら党外人士たちは選挙の実施要求を掲げてさらに運動を続けようとしたが、1979年1月、余登発が反乱罪で逮捕された。

当時、桃園県長であった許信良らは党外人士らを率いて余登発の釈放を訴えるデモを行なった。これが国民党統治下における初の民主化デモといえる。国民党は許信良の桃園県長職の弾劾決議を可決したが、これがさらに運動を加熱させることになった。

## 美麗島事件から本格的な民主化運動が始まった

許信良については、1977年の中壢（ちゅうれき）事件についても触れておこう。1977年の桃園県長選挙で、国民党を除籍となった許信良と国民党指名候補の欧憲瑜が一騎打ちとなった。許信良は外省人と本省人の差別撤廃を訴え、有権者からの支持を広げていた。だが投票日、投票場の一つの中壢小学校で、2人の老人が許信良に投票したのを見た同校校長で選挙主任観察員が、わざとその票を汚して無効にしようとした。これに怒った群衆が警察署を包囲し焼き討ちする暴動に発展した。治安維持に出動した軍は最終的に撤退し、選挙は無効にならなかった。投票結果は許信良が22万票以上を得票、およそ9万票差で当選した。

そうした動きの中で、黄信介は1979年8月に雑誌『美麗島（びれいとう）』を創刊。初代社長は許信良、副社長呂秀蓮、黄天福、総経理が施明徳となった。

黄信介はもともと国民党員であり、１９６１年に台北市議に当選するが、政治家になったのち党外人士支援を行うようになり、１９６９年の立法委員補欠選挙では党外人士候補として当選。１９７５年に雑誌『台湾政論』などを創刊し、言論人としても著名だった。だが、『美麗島』はこれまでになく急進的であり、国民大会と地方首長選の改選という目標を定めた事実上の政党活動でもあった。このため、『美麗島』は言論による攻撃だけではなく、高雄事務所や黄信介の自宅が襲撃されるなどの暴力にも晒された。

それでも『美麗島』は同年11月には発行部数８万部となり、12月10日の世界人権デーに高雄市でデモを行うと宣言。高雄市はデモを許可しなかったため、無許可デモが決行されることになった。国民党政府は９日、軍事演習を理由に全台湾でのすべてのデモ禁止を宣言。10日、デモのビラ配りをしていたボランティアが逮捕され、暴行を受けた。この事件に憤った多くの党外人士たちがかえってデモ参加を決意することになり、デモは大規模化していった。

当時の写真を見ると、トラックの荷台で松明をたいてデモを率いる姚嘉文らの姿や、治安維持部隊の並ぶ盾の前で、まっすぐ顔を上げてひざまずく女性の姿があり、世界人権記念日党外人士演講大会の横断幕を掲げて行進するデモ隊の熱気が伝わってくる。

デモは夕方から始まり、最初のデモ会場予定であった扶輪公園が封鎖されていると知ると、場所を中山一路のロータリーに変えて、そこで『美麗島』発行人の黄信介の演説が行われた一方、武装した治安部隊は群衆を取り囲んで圧力をかける。施徳明らが治安部隊の撤退を要請し、再度デモ許可を要請するも、なかなか解散しないデモ隊に治安部隊はついに催涙弾（さいるいだん）を打ち込んだ。現場は大混乱となり、デモは鎮圧されたのだった。

だが、振り返ればそこからが本格的な民主化運動の始まりだったといえる。後日、黄信介、施徳明を含む『美麗島』関係者8人が軍法会議の末、反乱罪で有罪判決を受けることになった。このとき結成された弁護団15人の中に、のちに民進党政権の総統となる陳水扁や、行政院長となる謝長廷、蘇貞昌（そていしょう）らが含まれていた。

最終的に、施徳明は無期懲役、黄信介は懲役14年、張俊宏、姚嘉文、林義雄、陳菊（ちんきく）、呂秀蓮、林弘宣の6人が懲役12年と重い判決を言い渡されるが、黄信介の弁護で陳水扁が1時間以上の弁舌を振るうなど、この裁判自体が、台湾人の民主化希求の思いを言語化していくプロセスとなり、民主化運動の裾野（すその）が広がっていったのだった。

## 命懸けの弁護

『産経新聞』が2021年9月に連載していた「話の肖像画」で謝長廷が当時、姚嘉文の弁護を引き受けたときのことを回顧していたが、美麗島事件関係者の弁護をすることは弁護士としても命懸けであったという。だが、「姚嘉文個人の弁護をするのではない。民主化運動の弁護をするのだ」という覚悟で引き受けたのだという。

また2020年3月の「話の肖像」では、陳水扁がやはり黄信介の弁護を引き受けた当時のことを振り返って、弁護を引き受けたことで軌道に乗っていた企業顧問弁護士の契約が次々と打ち切られたこと、家の中に何者かに進入され、家を荒らされ結婚指輪を盗(と)られたことなどを語っている。

この美麗島事件の弁護経験で、様々な脅しに屈しなかった陳水扁らが、やがて政治の道に入り、自らの手で民主を勝ち取ろうと立ち上がっていったのだった。

## 米国世論を動かした国民党の暗殺事件

美麗島事件に続いて、陳文成事件についても触れておく必要があるだろう。1981年7月、米カーネギーメロン大学で数学教師をしていた陳文成が台北に一時帰国していたとき、台湾警備総司令部(特務)に呼び出されたきり行方不明となり、台湾大学キャンパス内で遺体で発見された。警察は家まで送り届けたと主張し、事故か自殺だと処理された。

だが、カーネギーメロン大学学長らが米国の著名検死医を派遣し、他殺であることを突き止めた。台湾当局はこの検死医に台湾内での権限がないとして、他殺を認めなかった。真相はそのまま解明されなかったが、米国留学の台湾人学生が、学内の国民党スパイ留学生によってその言動を見張られ、密告され、帰国したときに処刑されるのではないか、という噂が米国に広がり、台湾の人権問題が米国世論の関心を呼ぶことになった。

ほかにも美麗島事件で服役中の林義雄の自宅が襲撃されて母親と２人の娘が惨殺される事件（１９８０年）や、『蔣経国伝』を執筆出版した作家・江南が、ロサンゼルスの自宅ガレージで殺害される事件（１９８１年）などが起きていた。江南暗殺事件についてはＦＢＩの捜査で実行犯として陳啓礼（ちんけいれい）ら竹聯幇（ちくれんほう）（台湾マフィア）幹部３人と発表され、うち２人は台湾で逮捕されたが、蔣経国の次男・蔣孝武が関与しているとの情報を『ニューヨーク・タイムズ』が報じ、また陳啓礼が自らの身の安全のために仲間に託したとされる、国防部軍事情報局からの指示を録音したテープをＦＢＩが入手、この暗殺事件の黒幕が台湾国民党であることが明らかになった。命令を下した国防部軍事情報局局長の汪希苓は蔣経国によって軍事法廷に送られ、個人的犯罪として断罪された。

こうした事件は、米国の人権感覚、民主や自由の価値観からおよそかけ離れており、米国世論を反国民党的にしたのみならず、親国民党派のレーガン米大統領への批判にまで発展した。米議会の有力議員らは国民党に政治改革を求め、戒厳令を解除するよう圧力をかけるよう呼び掛けた。

こうした動きの中で、蔣経国の政策も党外勢力との対話を重視する方向に転換していった。その背景には蔣経国自身が重い糖尿病で、残された時間の短さを考えるようになったこともあろう。国民党が正統性をもって政権を存続させていくには、民主化への道を選択せざるをえなかったのだ。

## 陳水扁の台頭

1980年の美麗島事件で主要メンバーは重い懲役判決を受けたが、その年の国民大会の定員増加・補欠選挙は、被告たちの家族が続々と出馬し、そして当選していった。美麗島事件を弁護した陳水扁や謝長廷らも水面下で寄付金を集め、こうした候補者たちを支援した。

81年の台北市議選は支援するだけでなく、陳水扁、謝長廷自身が出馬。陳水扁はトップ当選した。陳水扁、謝長廷、そして党外人士としては林正傑、康水木の4人が当選。陳水扁、謝長廷、林正傑は台北市議として議会で積極的に質問、追及し、国民党関係者の不正を暴き、当時、「党外三剣士」との勇名を馳せていた。

李登輝が蔣経国により副総統に任命された1984年ごろ、陳水扁は台北市議と弁護士をしながら『美麗島』の後継雑誌『蓬萊島』の社長を務めていた。編集に直接携わっていたわけではないが、台北市議の陳水扁が社長であれば当局からの圧力もかわせる、という狙いがあった。

だが、この雑誌で書かれた蔣経国の秘書の論文剽窃疑惑に関する記事が、名誉棄損だとして訴えられ、第一審判決では社長の陳水扁を含む3人にそれぞれ懲役1年の実刑と、雑誌社として罰金200万元（約3400万新台湾ドル、当時）の支払いが命じられた。

蔣経国の秘書を務めたことがある国民党立法委員、馮滬祥・東海大学哲学研究所長によるマルクス批判の学術論文が、じつは欧米学者の論文を翻訳したもので盗作の疑いがある、とする記事で、記事の内容が事実であるという大量の証拠を出しても一顧だにされなかった。当局の狙いは、世論の支持がうなぎ上りの陳水扁を潰すことだった。

## 妻・呉淑珍がテロの標的に

第一審判決を受けて間もなくの1985年1月28日、陳水扁は台北市議を辞職。司法の不平等を抗議するため上訴は行わない、として服役の覚悟を表明した。この言動でさらに世論の支持を集めた。罰金２００万元は当時の公務員の15年分の年収に当たる巨額なものだが、これを賄う募金を支持者たちに呼びかけると、あっという間に３００万元が集まった。また、服役前に「お別れ会」という名目の政治集会を7回開催した。大勢の支持者が押し寄せ、陳水扁人気と台湾人の民主化への希求、国民党政府への抵抗が可視化されることになった。

その年の9月、蓬莱島事件のまだ第二審判決が出る前、陳水扁は地元の台南県長選挙に立候補した。選挙2カ月前の急な出馬であり、当選の確立は低かったが、民主の主張を台湾に広めるための決断だった。だがこの出馬によって妻・呉淑珍（ごしゅくちん）がテロの標的となり半身不随になってしまう悲劇が起きた。

同年11月15日、陳水扁の岳母に「阿扁（あへん）（陳水扁の愛称）に妻を失う苦しみを味わわせてやる」という淑珍の殺害予告が来たが、陳水扁はたんなる脅しと受け止めて出馬を取りやめなかった。選挙は予想どおり落選となったが、台南県で起きた阿扁旋風の熱気は国民党に時代の変化を突き付けるには十分だった。

選挙後、有権者への感謝集会参加のために各地を回っているとき、レストランに入ろうとした淑珍が、いきなり飛び出してきた三輪トラックにはねられた。事故ではなかった。三輪トラックは殺意をもってバックし、倒れている淑珍の首を轢(ひ)いて逃走した。

淑珍は2度にわたる大手術を経て何とか一命を取りとめたが、頚椎(けいつい)損傷で一生、車椅子の人となった。のちに医療関係者の証言で、1度目の手術は医師が国民党の意思を忖度(そんたく)してきちんと治療しなかったという。2度目の手術をした医師が、1度目にきちんと治療していれば半身不随は避けられたかもしれない、とのちに証言している。

陳水扁総統(奥)と呉淑珍夫人(写真提供:AFP=時事)

陳水扁は妻の人生を、自分が政治家を目指したために犠牲にしたのだと、その後も罪悪感を背負い続けることになる。それがのちに台湾総統まで上り詰める原動力となり、そしてまた足元を掬(すく)われるアキレス腱となるのだが、その話はまたあとにする。

## 民進党を結成

陳水扁は１９８６年６月10日に収監された。第二審で実刑は８カ月に短縮され、１９８７年２月10日に出所した。陳水扁の服役中、台湾民主の歴史における大事件が起きる。民進党結成である。

１９８６年９月28日、民進党が結成された。これは電撃的な発表であった。当時の台湾ではまた野党の設立が禁止されていた。国民党を支持していない人々は「党外人士」と呼ばれ、党外公共政策研究会、党外編集作家聯誼会といった勉強会、職業団体のようなかたちで組織を形成していた。それを国民党に対抗する政党としてまとめ上げようと、極秘裏に結党の準備が進められた。

事前に情報が洩れれば、国民党の特務機関に抹殺される可能性が強かった。この結党準備に関わった謝長廷は当時、遺書を書いて妻に渡した、と述懐している。「たとえ私が政治犯として処刑されても、戦後台湾で初めて野党、民進党が１日でも存在したと歴史に刻まれてほしい」という思いだったという。

台北市内のホテルで、別の名目でおよそ１００人以上の弁護士や民主活動家が集まった席で、民主進歩党の結党が発表された。党名は謝長廷が考えたという。保守的な民主も、革新リベラルな進歩派も、様々な思想をもつ人々が、一党独裁反対という共通項で結びついた党という意味の命名だった。緊張して発表された民進党の誕生だったが、メディアはほとんど報じず『中国時報』が短い記事にしただけだった。

じつは、この野党結成が蔣経国の意思であったことは、のちに李登輝自身が明らかにしている。1986年2月7日、蔣経国は李登輝に党外人士と意志疎通のパイプをつくり、李登輝自身が参加するように指示を出した。蔣経国は野党をつくらせ、外圧によって国民党を改革していこうとしていたことを『李登輝秘録』著者の河崎眞澄に語っている。

民進党結党2日後の9月30日、蔣経国は民進党結党について、違法要件は構成していないとして、黙認する姿勢を李登輝に語ったという。

この結党後に行われた立法委員第五次増員選挙では、服役中の陳水扁に代わって、車椅子の妻の呉淑珍が民進党候補として出馬し、当選したのだった。

陳水扁は1987年2月10日に出所すると、民進党に入党し、妻のアシスタントを務めた。立法委員事務所を設置し、14人の専門家をアシスタントに雇い、立法院で与党を追及するための質疑原稿を書き上げていったという。多様で豊富な知識を必要とする現代政治で多くの専門的ブレーンを雇い、正確な政治を行なっていくという民進党政治のスタイルはこのころ、陳水扁が編み出していった。

そして１９８７年７月、蔣経国はついに38年継続した戒厳令を解除することを決定した。88年1月13日、蔣経国が没する半年前の決断だった。そのあとを代理総統として李登輝が引き継ぐと、89年1月、立法院は政党の結成、存続に必要な要件を規定し、政党の結成、活動を完全に合法化。そのうえで同年12月に立法委員増員選挙が行われた。このとき陳水扁、謝長廷らが当選し、新規政党・民進党は合法的な議席を獲得したのだった。

## 世論を無視して政権を維持できなくなった

蔣経国の死とともに、劇的な変化のタイミングが訪れた。副総統から自動的に引き継ぐ代理総統となった李登輝は、１９９０年の総統選挙で正式に総統となるべきか否かの岐路に立っていた。

蔣経国に抜擢された台湾人代理総統は、国民党内守旧派の嫉妬と敵愾心（てきがいしん）の的になっており、妻の曽文恵が泣いて正式に総統になるのをやめて、と頼んだという。李登輝が党内の派閥争いに巻き込まれるのを心配したのだ。

だが蔣経国が死ぬ前に野党を容認し、戒厳令を解除したことの意味や、当時世界で起きていた民主化のうねりとベルリンの壁崩壊などの歴史的事件に象徴される国際社会の変化を受けて、自ら台湾の民主化を進めるつもりで、李登輝は90年3月の総統選挙に挑むことにする。

このときの総統選挙は、まだ「万年国会」と呼ばれる改選のない国民大会の代表の投票による間接選挙であり、国民党内の権力闘争の結果が選挙結果であった。

李登輝を後押しする主流派に対し、それを阻もうとするのは、蔣介石夫人の宋美齢のお気に入りで軍部出身の当時の国防部長の郝柏村（かくはくそん）と行政院長の李煥（りかん）。李登輝は党中央委員会から90年1月31日に総統選公認候補の指名を受けた。副総統候補に外省人の李元蔟を指名するが、この副総統候補確定は2月11日の臨時中央委員会全体会議で決定されることになった。郝柏村はこのときの票決を起立方式から無記名投票方式に変えて、密かに守旧派に根回しして副総統候補を否決にし、李登輝の出馬を阻もうと考えた。

だが、その動きを察した李登輝サイドが、この情報をメディアにリークし、郝らの計画は失敗することになった。そこで郝らは対抗馬として、同じ台湾人の林洋港を担ぎ出した。林洋港はやはり蔣介石が抜擢した台湾人官僚政治家であり、台北市長、台湾省主席で李登輝の前任者だったが、結局、出世競争で李登輝に負けていた。対抗馬としてあえて台湾人が担ぎ出されたのは、すでに台湾人主体の台湾世論を無視しては、国民党も政権を維持できないという危機感をもっていたと見られている。

林洋港を総統候補とし、さらに蔣介石の養子で軍出身の蔣緯国を副総統候補としたペアが対抗馬となるはずだったが、最終的には林洋港側が長老に説得されて出馬を断念した。

## 野百合学生運動

国民大会による総統選挙の直前、こうした国民党内の権力闘争の顕在化を受けて、台湾社会を揺るがす歴史的な学生運動が起きる。

三月運動、またの名を野百合運動。これは台湾の民主化実現に向けた最後の一押しであり、社会運動が政治を変えていく、という台湾の伝統をつくった運動でもある。

1990年3月16日、台湾大学の周克任、何宗憲、楊弘任ら9人の学生たちは集会やデモが禁止されている博愛特区、中正紀念堂前の広場で、万年国会（国民大会）の解散を求める座り込みを始めた。

座り込みが1人、2人と増え、17日夕には200人に膨れ上がった。台湾大学の自由派の学者たちもこの日、「緩やかな授業ボイコット」として、19日から1週間、授業の場所を中正紀念堂前広場とし、民主教育週間とすると宣言した。

3月18日、学生たちは全国から連動して集まり、数千人規模に達した。その日の午後、民進党も集会を呼び掛け数万人の群衆が広場のゲート付近で演説を行いはじめた。だが広場はあくまで学生たちの領域で、声援を送る群衆との間はロープで隔てられた。

やがて、広場の学生たちによる決策委員会が「自主、隔離、和平、秩序」という座り込み抗争の原則を掲げ、これが独立自主の社会の力の一つとしての学生運動であることが宣言された。つまり、決して暴動に発展することはない、平和的で秩序のある社会運動としての位置付けを宣言したのだ。

さらに四大訴求というかたちで、4つの要求を掲げた。

①（万年国会である）国民大会を解散し、一元化した新たな国会制度をつくること。
②動員戡乱時期臨時条款を廃止し、新たな憲法秩序をつくること。
③国是会議を招集し、全民で体制の危機の問題を解決すべく話しあうこと。
④民主改革のタイムスケジュールを提出し、民意の潮流に呼応すること。

3月19日には、広場で10人の学生が午前10時から抗議のハンガーストライキを始めた。このハンスト声明では、李登輝と行政院長の李煥に対して21日までに四大訴求に対し返答するよう求めた。その夕方には広場の学生は3000人を超えた。

夜11時、この運動のシンボルを台湾に原生する「野百合」にすることが決まった。「野百合の春」というビラの中で、なぜ野百合を運動のシンボルにしたかが説明されている。

自主性：野百合は台湾の固有種であり、自主性のシンボルだ。
草の根：野百合は高山から海辺まで至るとこで育つ草の根の広がりを象徴。
生命力：いかなる劣悪な環境でも成長し、花開く。
春に満開となる：春に花咲く、今がそのときだ！
純潔：その白き花は純潔の象徴であり、学生たちと同じ。
崇高：ルカイ族では、その花は最高の栄誉の象徴だ……。

こうして台湾原生の野百合のような自主的に広く広がった生命力旺盛（おうせい）で、民主の春に咲き誇る純粋で崇高な運動は、野百合学生運動と命名されたのだった。

## ◈学生代表と総統府で接見

20日、学生運動はすでに5000人以上に膨らんでいた。総統府は国是会議を開催し、憲政体制と政治改革問題および改革のタイムスケジュールについて処理すると発表した。これは野百合学生運動の四大訴求に対する正面からの回答であった。

さらに軍部代表の陳桑齢上将が「学生の抗議は愛国運動である」と言明、学生たちに速やかに座り込みを解散するように呼び掛けた。このことで、野百合運動が1989年の北京の天安門事件のように弾圧されることはない、と約束されたといっていい。国民党内で李登輝が正式に総統になった暁には、民主化を推進することを公式に約束したようなものだった。

21日に李登輝は対抗馬のないまま、国民大会の間接選挙で総統再選となった。その日の午後、53人の学生代表と総統府で接見すると発表。

夜8時から1時間余りの接見の場で、李登輝は学生たちの要求に耳を傾けた。

李登輝は学生たちからの要求である各階層、各党派の代表が公平に参加する国是会議を開催し、動員戡乱時期臨時条款の廃止、国民大会の全面的改選、改革のタイムスケジュールの制定などを討論することを約束する代わりに、即座に座り込みを解散するよう求めた。

このやり取りを学生たちはビデオ撮影し、深夜に広場で公開され、学生たちも納得し、22日、野百合学生運動は平和裏に解散した。

## もし鄧小平が自らの目で天安門を見ていたら

台北の野百合学生運動の結末が、天安門事件と決定的に違ったのは、李登輝という鋭い洞察力と観察力をもった理知的な指導者が当時のトップであったという幸運もあった。もし蔣経国体制のままであったら、別のシナリオがあったかもしれない。

李登輝は1988年の段階で、台湾でも学生の民主化運動が起きうると見越し、学生デモへの対処法について、当時の内政部長の許水徳(きょすいとく)に、日本の学生運動への対応経験が豊富な内閣安全保障室長の佐々淳行(さっさあつゆき)に安全に学生デモを収めるノウハウの教えを乞うように命じていた、という。このとき、佐々から「デモ隊に一人も死者を出してはならない」ということを教えられ、それば忠実に守られた。

また李登輝は当時、学生たちを気にかけて何度も広場を見に行ったという。警備の制止によって車から降りることはなかったが、車窓から李登輝が広場のほうを眺めていることを学生たちは気づいていたらしい。学生たちの抗議の矛先は李登輝の権力闘争の相手である守旧派であり、李登輝に対してはむしろ民主化への期待を寄せていたため、李登輝が学生たちを気遣うようにお忍びで広場の様子を窺っていたことは、学生たちを大いに喜ばせたという。

歴史にもしも、はないが、鄧小平（とうしょうへい）が天安門の学生たちを動乱と判断し、武力鎮圧したのは李鵬（りほう）の報告が根拠だった。もし、鄧小平が自らの目で天安門の学生たちの様子を見て、その声を聞けば、あの集会を動乱とまでは判断しなかったかもしれないし、武力鎮圧まではしなかったかもしれない、と私は鄧小平の元秘書から聞いたことがある。あるいは、鄧小平がそれほどまでに老いていなかったら。

野百合学生運動が起きたときの総統が若き李登輝であったことは、台湾にとって奇跡ともいうべき幸運なめぐりあわせだった。

## 李登輝が進めた台湾民主化

李登輝は国民大会によって総統再選となり、１９９０年5月20日に正式に就任した。その後は怒濤（どとう）の勢いで民主化の方向で政治改革を進めていく。

総統就任日に恩赦というかたちで、美麗島事件で反乱罪に問われ服役していた黄信介ら政治犯を釈放し、公民権を回復した。さらに野百合学生運動の学生たちと約束した国是会議を招集した。この準備は李登輝の側近であった宋楚瑜（そうそゆ）が担当した。台湾野党の民進党を含む反体制派政治家、官僚、商工会代表、学識経験者ら１５０人がメンバーに選ばれ、圓山大飯店（まるやまだいはんてん）で６月28日から７月４日まで開かれた。

国会改革、中央政府体制、憲法と臨時条款の修正方法、大陸政策と両岸関係、地方制度改革の５つのテーマについて討議され、最終的に動員戡乱時期臨時条款の廃止および動員戡乱時期の廃止、憲法回帰、憲法修正といったコンセンサスをまとめた。

これを受け、１９９１年、国民大会は最後の仕事として憲法改正を決議し、台湾を内乱状態とする動員戡乱時期臨時条款は廃止し、国民代表の改選を決めた。万年国会の国民大会の代表約７００人は多額の退職金や住宅提供をもって91年末まで全員引退した。これで憲法上も台湾の内乱時期は終了した、ということになった。

## 「過去の政府の過ちを認め、深く謝罪する」

また李登輝は、国民党軍の国軍化も進める。当時、国民党軍に多大な影響力をもっていた国防部長、郝柏村を行政院長に抜擢する。郝柏村はもともと参謀総長として軍の実権を握っていたが、李登輝は１９８９年、代理総統となったのち、郝と軍の距離をとらせようと国防部長に登用し、そして正式に総統となったあとはさらに行政院長に引き上げることで、軍と郝の関係を切ろうとしたのだ。

行政院長（首相）になるには、軍を除隊しなければならない。かつて李登輝の総統選を阻んだ最大の政敵を昇進させるかたちで、軍への影響力を奪い、無害化しようとしたのだった。同時に、新参謀総長ら軍幹部に反郝派を登用。李登輝の戦略に気づいた郝は、軍人事への介入を行政院長権限で行おうと画策するのだが、これは世論から激しい批判を受け、92年の立法委員全面改選で民進党が躍進し、国民党議席が161議席中100を割る事態となった。郝柏村は軍の将官と軍事クーデターを企てている、と民進党議員に追及され、行政院総辞職に追い込まれた。

1992年5月15日には内乱罪を規定していた刑法100条を修正し、獄中にあった内乱罪犯20人を釈放し、海外に逃亡していた独立運動家、民主活動家をブラックリストから外した。日本で台湾独立運動を行なっていた黄昭堂、許世楷らもブラックリストから外れ、祖国台湾に戻ることができたのだった。さらに同年7月、悪名高い特務機関、警備総司令部を廃止。1994年4月の党臨時中央委員会で総統を国民大会の間接選挙から、台湾有権者による直接選挙で選出する方針に転換し、7月に憲法を改正した。

さらに李登輝は国民党による白色テロの嵐が吹き荒れる起点となった事件、2・28事件の総括に取り掛かった。事件の再調査を命じ、92年3月には被害者に対する賠償条例をつくった。1995年、台北新公園に2・28事件慰霊碑が建てられ、その除幕式で李登輝は「ここに国家元首としての立場で、過去の政府の過ちを認め、深く謝罪する」と述べた。

2・28事件について、こうして国民党政府による歴史的過ちとして公式に謝罪されたことは、台湾内部の大多数の台湾に元から住む人々（本省人）と大陸から来た支配者（外省人）の長年の恨みと対立を一つの共通する台湾人アイデンティティをもつ「台湾人」として融合させ、新たな「台湾国民」として生まれ変わっていく起点となったといえるかもしれない。

1996年3月23日、中華民国における初めての有権者直接投票による総統選挙が行われた。与党国民党総統候補は現職の李登輝、副総統候補は当時行政院長の連戦（れんせん）。野党民進党からは総統候補に彭明敏、副総統候補に謝長廷が出馬した。

この選挙直前、李登輝に反発する中国共産党の江沢民（こうたくみん）政権からミサイル軍事演習というかたちで激しい軍事恫喝（どうかつ）を受けるのだが、米軍が空母を2隻派遣し、牽制（けんせい）したうえ、むしろ中国共産党の脅威が有権者を刺激し、投票率は76％、李登輝・連戦ペアの得票率は54％に達した。民進党の彭・謝ペアは得票率21・1％、李登輝に反発して無所属で出馬した元国民党守旧派の林洋港・郝柏村ペアの得票率は14・9%だった。

直接選挙を実現した中華民国・台湾は、ここに真の民主主義国として再出発することになる。

## 奇跡の民主主義

もう10年以上前のことだが、戦後最初に日本で設立された中国をテーマとするシンクタンクに中国研究所というのがあって、その勉強会に招かれたことがあった。

その席には国民党研究の華人専門家たちも複数いて、雑談のときに李登輝がいかに汚職にまみれて、腹黒い悪徳政治家であるのか、ということを滔々（とうとう）と説明されたことがあった。

その話を総括すると、蔣経国に忠実なふりで出世し、国民党の総統になったとたん、独裁的強権を振るって国民党内部をかき回し、党を分裂させ弱体化させ、ついには政権の座から転落させた、ということだった。李登輝はずっと猫の皮をかぶったトラとして国民党内に潜伏し、最終的に国民党を裏切った嘘つき、不誠実、裏切り者のスパイなのだという。

李登輝は日本人が思っているような聖人ではない、彼も独裁者だ、日本人は李登輝に騙（だま）されている……。古い中国研究者は親国民党系の人が多いので、こういう意見は、中国研究者から

台湾初の総統直接選挙で勝利、支持者に応える李登輝総統(左)と曽文恵夫人(写真提供:AFP=時事)

はじつはよく聞く。

そのとき「ならば、李登輝が腹黒い狡猾な政治家であったとして、結果として起きた台湾の民主化には皆さんは反対なのですか？　台湾は民主化しなかったほうがよかったと思うのですか」と聞き返すと、その席にいた全員が反論できなかった。

民主主義の日本で自由に研究し、言論活動をしていれば、それが台湾出身者であろうが中国出身者であろうが、民主主義自体を否定する知識人はまずいない。そして、やはり台湾が民主化したことは、多くの台湾人、そして海外に暮らす華人にとっても、隣国の日本にとっても、世界にとっても幸運なことであったのだ。

そして李登輝が仮に存在しなかったり、あるいは本当に清らかで、嘘もつけないような人物であったがために党内権力闘争に負けて失脚していたりしたなら、台湾の民主化の道程はもっと困難で、長く、あるいは流血事件も起きていたかもしれない。野百合運動で一滴の血も流さず、万年国会・国民代表の全員を引退させたのも、李登輝がいてこその話だろう。

台湾の民主化はいくつもの奇跡が重なっている。だが、最大の奇跡は、専制体制の中で順調に出世し、ついに独裁的権力を手に入れた男が、自らの独裁的権力を使い、独裁体制を打ち壊し民主化を進めようとしたことだろう。

その奇跡はなぜ、ほかの専制的国家では起きないのか。中国共産党体制では起きえないのか。あるいは起きうるのか。欧米の影響を受けて民主化が進められた国々はあれほど血を流しているというのに、なぜ民主主義が安定しないのか。

もし、台湾の民主の種が、その歴史を振り返ったとき、日本によって蒔かれたものであるということに何か関係があるというふうに考えれば、今、世界が開かれた自由・民主の国家と統制された権威主義の国に分かれた対立が先鋭化する状況で、日本ができること、やるべきことを考えるヒントになるかもしれない。

# 第2章
# 民進党政権が定着させた「台湾アイデンティティ」

## 陳水扁政権の誕生

私が特派員記者時代に、海外の現役国家指導者に最初に会見したのは、陳水扁台湾総統だった。２００１年、陳水扁が正式に総統に就任してほどないころだったと思う。

他の日本人記者との合同会見で、他社は皆、論説委員級のベテラン記者。私はたまたま当時の論説委員長であった吉田信行氏の代理で参加したにすぎない。どちらかというと表敬訪問に近いかたちで、どんな質問をしたのか、正直よく覚えていない。台湾の国名変更や憲法改正の可能性についての質問だったと思うが、結局当たり障りのない慎重な表現でうまくかわされた気がする。そのときに記念品として総統府から贈答された茶器は今も使っている。

このときの陳水扁に対する私の印象はすこぶるよい。温和で紳士的で、私が中国語学習者だと知ると、癖の強い中国語（普通話）で直接、答えてくれた。美麗島事件で活躍した人権派弁護士であり、台北市長時代、高い行政手腕を発揮した優秀有能な政治家。そして、テロで半身不随になった夫人への献身的な様子は、非常に好感がもてた。

だが、その8年後、この夫人への献身ぶりが政敵に足元を掬われる隙(すき)をつくったのだから、中華圏の政治権力闘争とはげに恐ろしい。私は今でも、陳水扁の汚職事件は、政敵たちによる罠にはまったからで、陳水扁が自ら私服を肥やすための汚職を行なったことはいっさいない、と見ている。

## 台北市の発展に争点をもっていく

陳水扁は1994年に行われた台北市長選挙に出馬し、国民党候補の黄大洲（台北市長現職）、新党候補の趙少康（ちょうしょうこう）の三つ巴（みどもえ）で戦った。これはいわゆる省籍問題、つまり本省人と外省人、イデオロギーと台湾独立問題で世論を分断する選挙にもなりかねなかった。

とくに、国民党内改革派で議会で民進党と乱闘なども行う少壮派と呼ばれるグループが離党して立ち上げた新党の候補の趙少康は、1992年の立法委員選挙で歴史的な得票率を記録したことがある親中派の大物だ。

選挙運動中に、台湾独立派と親中派統一派が乱闘騒ぎになる可能性もあった。もともと民進党はあちこちで衝突を起こす過激派、暴力党と中傷されがちだったので、陳水扁はそうした省籍矛盾、イデオロギー対立ではなく、台北市の発展に争点をもっていく戦いを展開。国民党組織票が国民党と新党に別れたこともあって、陳水平の得票率は43・6％、新党・趙少康の得票率30％を大きく上回り圧勝した。

陳水扁の台北市長4年間の行政手腕は、党派やイデオロギーの違いを超えて誰もが認めるところだろう。深刻な交通渋滞を緩和させ、捷運（ラピッド・トランジット）も1年に1本のペースで新路線を開通させた。公園を整備し、公的施設のトイレを改修した。住宅地域から、マフィアの資金源となっている風俗店やゲームセンター（地下賭博）を撤退させた。

こうした行政上の成果のポイントは、リベートを受け取らない、市民主義、市民参加を原則とし、公務員の観念改革、意識改革に力を入れたことだったと、本人が自伝『台湾之子』の中で説明している。

お役所仕事からパブリック・サーバントとしての意識改革は、区役所と戸籍管理事務所のカウンターの高さを低くする、待っている市民にはお茶を出すといったことから、情報、手続きのオンライン化に至り、土地管理、税務、交通へと広げていった。また芸術文化イベントでは市民参加、民間協力を推進した。これは、国民党のやることは絶対であり、市民は黙って従うべし、という政府万能主義からの脱却の意味もあった。

## 馬英九・国民党候補に敗北

こうした陳水扁市政の成功は1998年、『アジアウィーク』誌が選ぶ住みやすいアジアの都市の第5位（1～4位は東京、福岡、大阪、シンガポール）に選ばれるかたちで国際的にも評価されていた。

だが同年12月25日、台北市長再選をかけた選挙で陳水扁は馬英九（ばえいきゅう）・国民党候補に敗北する。１９９４年の選挙で新党に分裂したもともとの国民党（外省籍）票田が今回はまとまり、国民党の若きエース、馬英九に投じられた。

若く甘いマスクはノンポリの女性票も吸収した。民意調査では陳水扁市政に76％が満足していたが、結局選挙はミズモノだ。風俗・ゲームセンター排除に不満をもっていた既得権益層も多かったのかもしれない。

いちばんの背景は、親国民党メディアが馬英九を「新台湾人」と持ち上げたキャンペーンの成功ともいえる。「新台湾人」とは、李登輝が１９９８年10月24日の「光復（祖国復帰）五十三周年記念談話」で打ち出した概念で、台湾という一つの共同体に暮らすすべての人の努力、奮闘が台湾を発展させてきた、その台湾の不撓不屈（ふとうふくつ）の精神をもって、子孫のために輝かしい未来を創造する責務を背負うのが「新台湾人」であるというコンセンサスを継続し、集結しようと呼びかけた。

香港生まれの外省人であるが台湾大学法学部を卒業し、米国留学経験もあり、ニューヨーク市の弁護士としてのキャリアをもって1981年に帰台したのち、国民党内で頭角を現していった馬英九は、当時まさに李登輝の提唱する「新台湾人」のイメージにはまったのだった。

それは台湾有権者の大きな見誤りで、馬英九は「新台湾人」どころか、じつは台湾の未来を中国共産党に売り渡しかねない人物であったことがその約15年後に判明するのだが、それは後述する。

## 「陳水扁を総統に！」

だがこの敗北が、2年後に台湾で初めての政権交代劇を生むことになった。1998年の台北市長選が敗北とわかった陳水扁が、支持者に向かって敗戦の弁を述べるために事務所前のステージに上がったとき、支援者から「陳水扁を総統に！」というシュプレヒコールが起き、陳水扁は台湾総統選候補として2000年の総統選を国民党候補の連戦と戦うことになるのだった。

陳水扁の台北市長落選を受けて、陳水扁の総統選出馬をいちばんに推したのは民進党主席の林義雄だった。本来は、林義雄自身が総統候補に出馬するつもりで準備を進めていた。林義雄は、美麗島事件で懲役刑を受けている間に政治テロにより母と娘が殺害された悲劇的なエピソードをもつ著名な民主活動家。だが、彼は自分より陳水扁のほうが総統選に勝てると判断して、あえてチャンスを陳水扁に譲ったのだった。それほどまでに陳水扁は実務能力の高さも、人徳の高さも、そして信念の強さも、当時の民進党政治家の中ではずば抜けていた。

この選挙に勝つために、民進党は1999年5月、「台湾はすでに独立した主権国家であり、その名前は中華民国である」と中華民国体制を容認する「台湾前途決議文」を採択した。民進党の綱領には、1991年以来、外来政権、中華民国体制から台湾を解放し、台湾共和国を樹立することが掲げられていた。

民進党設立の根本的な目的であった台湾共和国樹立の看板を下ろし、中華民国体制を容認することは、民進党にとって苦渋の決断であった。1996年の総統選で彭明敏民進党候補が惨敗を喫した理由は、中華民国体制を否定しながらその総統選挙に臨むことの矛盾があったからだった。

ここで、民進党は中華民国体制を維持したまま民主主義主権国家を確立させる方向へと転換する。これは民進党にとっては大きな妥協であったが、「闘争と妥協を繰り返し少しずつ進歩する」というのが台湾の民主化運動のスタイルだった。だからこそ、流血の暴力なしに台湾はいつの間にか、民主主義を確立できたのだ。

## 決定打は宋楚瑜の長男の不正蓄財スキャンダル

こうして陳水扁は2000年の総統選に出馬し、39・3%の得票率で勝利した。二番手の宋楚瑜（得票率36・8%）とは僅差だった。

陳水扁の勝利は陳水扁自身が出馬前に外国を歴訪し、徹底的に国際社会、経済の動きを勉強したこと、台湾を隅々まで行脚し、政策運営に必要な知識や人材の獲得に勤しんだことなど、猛烈な努力があってこそだが、いちばん大きな勝因は、国民党の票田の分裂だろう。長年李登輝の側近であった宋楚瑜は李登輝と反目するようになり、宋楚瑜が国民党を飛び出し、無所属として出馬。さらに、李登輝が1997年に発した「二国論」騒動によって、国民党票田が割れた、というのもある。

宋楚瑜は有能であり、台湾省長時代に行なった地方重視の政治によって民衆にも人気が高かった。総統選出馬をかねてから準備し、票固めを行なっていた。選挙戦開始当初、圧倒的に有利に見られていたのは宋楚瑜だった。

陳水扁勝利の決定打は、1999年暮れに発覚した宋楚瑜の長男の不正蓄財スキャンダルだ。このネタは国民党の連戦陣営から発表された。連戦陣営は当初、陳水扁陣営にこのネタを持ち込み、宋楚瑜の不正を発表させようとしたが、陳水扁はネガティブキャンペーンはやらない、と断ったという。

だが、このスキャンダルは宋楚瑜の人気を落としただけでなく、不正を暴いた連戦の人気も落としてしまった。宋楚瑜の高い支持率は、国民党を追い出されたことへの同情もあったが、連戦による宋楚瑜の不祥事追及はむしろ国民党内の不祥事を今さら暴いた格好にもなったのだ。もし、連戦総統候補、宋楚瑜副総統候補でこの選挙を戦っていたら国民党が勝利しただろう。

## 「台湾の子」陳水扁総統を選出――独立した民主主義近代国家の要諦を整えた

こうしていくつもの偶然が重なり、中華民国体制になって初めて、国民党以外の政党が政権を奪うことになった。そしてこれは、台湾人がつくった政党が台湾全体を統治するという意味においては、台湾有史以来の出来事であり、ここから民主主義国家としての台湾現代史が始まるといっても過言ではない歴史的事件だった。

中華民国体制は台湾有史以来の6つ目の外来政権で、少数の大陸からやってきた外省人が台湾人を支配する独裁体制が長期に続いた。その独裁体制の中で、官僚となり頭角を現した李登輝が世論に応じて、少しずつ民主化を進め、総統選直接選挙が実現した。

これは国民党内で李登輝がかなり独裁的な手腕をもって進めた民主化改革だが、その改革の結果、国民党外に優秀な民主的政治人材が誕生し、21世紀になるとともに、台湾人有権者が直接選挙で、台湾人がつくった台湾の政党を率いる「台湾の子」たる陳水扁総統を選出した。こうした事実をもって、すでに台湾は独立した民主主義近代国家の要諦をすべて整えた、ということになる。

## 「一つの中国」の内部関係ではない――「二国論」の背景

こうした政権交代の現象を生んだ背景に、私は台湾人意識の高まりというものがあると思う。台湾の未来を台湾人が選び取る、という台湾人意識は、今では「台湾アイデンティティ」というかたちで当たり前のように使われる言葉になったが、それが明確なかたちを取り始めたのは、李登輝が言い出した「二国論」以降ではないか。2000年の歴史的な与野党交代も、私は二国論騒動が一つの要因と考えている。

1999年7月9日に李登輝がドイツメディアのドイチェ・ヴェレのインタビューに対し、中国と台湾の関係を「特殊な国と国の関係」とする「二国論」を発表。つまり「1991年の憲法改正以来、すでに両岸（中台）関係は国家と国家の関係として位置付けられ、少なくとも特殊な国と国との関係であり、『一つの合法政府と一つの反乱団体』『一つの中央政府と一つの地方政府』といった『一つの中国』の内部関係ではない」というものだった。

これは1998年6月、米国クリントン政権が台湾政策について「三不政策」（三つのノー）を表明したことと関係がある。三不政策とは、台湾独立を支持しない、二つの中国や一つの台湾と一つの中国を支持しない、国際機関への台湾の国家としての加盟を支持しない、だ。

1996年の第三次台湾海峡危機を経て、台湾内の独立機運、台湾ナショナリズムの盛り上がりを見て取った米国による一種の牽制といえる。当時の米国は対中関与政策を推し進め、米政権と共産党は利益供与関係にあった。中台関係が不安定化すれば米国も巻き込まれる。このとき、米国にとって台湾海峡の現状を一方的に変更させうる動きをすると警戒すべきは、中国だけでなく、むしろ希代の戦略家であった李登輝だったわけだ。

## 中国との交渉の余地を持ち続けるエリート的な考え

そういう状況で、李登輝は総統任期残り1年を切った段階で、突如「二国論」を発表した。

李登輝は、江沢民が1999年10月1日の新中国建国50周年に、一方的に国際社会に対し、両岸が一国二制度の枠組みで統一に向けて政治協議を行なっていると発表するとの情報を得て、それを妨害するために発表したと2011年に回顧して語っているのだが、それは建前の理由だろう。

むしろ21世紀が始まる前に、李登輝が総統任期最後の仕事として、台湾の行く末についての方向性を世界と台湾世論に問いかける意味があったのではないだろうか。

二国論が発表されたことで、台湾内外の世論は沸騰した。まず、民進党は「特殊な国と国の関係はすでに現実と合致しており、創造力に富んだ説明だ」と支持する声明を出した。台湾独立派の社会運動家たちは、李登輝が「民主の父」というだけでなく「台湾国父」だと賞賛した。

だが、国民党内部では意見が割れた。李登輝の後継として国民党公認候補に指名された連戦は「特殊な国と国の関係論は国家の尊厳を維持し、人民の権益を考慮した主張であり、台湾2300万人民の心の声だ」と支持を示した。

しかし、国民党を飛び出し、無所属で総統選挙に出馬する宋楚瑜はこれを支持しなかった。宋楚瑜は李登輝の片腕として李登輝の党内改革に積極的役割を担ってきたが、二国論については支持せず、中国との関係安定を重視する立場に立った。だが、これは中国統一支持路線というより、中国との交渉の余地を広く持ち続けるという台湾エリート的な考えといえる。

また国民党から分裂し、外省人利益を代弁する新党は二国論反対デモを7月23日に行なった。二国論反対派の主張は「二国論をとれば北京から武力恫喝される」として、二国論反対はすなわち平和支持、戦争反対、中国共産党の武力にノーと言おう、というロジックにすり替わった。

だが当時の民意調査を見れば、おおむねこの二国論は支持されていた。1999年7月9日から8月6日まで、台湾の7つの民間調査機関が行なった民意調査の結果では、二国論に対して同意を示した回答は最も高いもので74%、最も低いものでも43%。反対を示したものは10~30%だった。

## 李登輝が分裂主義者の代名詞に

中国は強烈に反発した。二国論が公表された2日後に、中国の国務院台湾事務弁公室スポークスマンは李登輝を名指しして、「公然と両岸関係を国と国の関係と歪曲(わいきょく)している。それは中国の領土と主権を分裂させようという狙いがあることを暴露している」と批判。以降、李登輝は中国にとって分裂主義者の代名詞となった。

江沢民政権は予定されていた汪道涵（おうどうかん）・海峡両岸関係協会長（当時）の訪台計画を取り消し、2000年3月の台湾総統選前のすべての両岸対話メカニズムの活動を停止する、とした。期限を台湾総統選としたのは、この二国論発言を李登輝個人の言論の範囲に止（とど）めようという中国共産党側の意図があっただろう。選挙で国民党の総統の座から李登輝が引退すれば、また風向きが変わるのだ、とこのころは考えていたようだ。まだこの段階では明らかになっていなかったが、国民党と共産党の間では1992年に「一つの中国」という認識を共有する「92年コンセンサス」が非公式に合意されていた。

## 米中双方には邪魔でしかなかった

米国は二国論発言をめぐる中国の反応について、コメントを控え、7月14日、ホワイトハウスのロックハート報道官の定例ブリーフィングでは、「北京の厳しい言葉尻だけをとらえてはいけない」と記者たちをなだめていた。さらに、9月11日にAPEC（アジア太平洋経済協力、オークランド）の場でクリントンが江沢民と会談したときには、クリントンは、「両国論は中国と米国双方にすでに多くの困難をもたらした」とネガティブな印象を語っていた。

「もし中国が台湾に対し武力で訴えるなら、米国としては深刻な結果をもたらすであろう」

「我々は継続してニクソン大統領以来の政策を維持する。つまり一つの中国、台湾問題の平和的解決、両岸対話だ」という従来の立場を繰り返すも、このとき、米国はコソボ紛争におけるベオグラードの中国大使館誤爆事件（じつは誤爆ではなく、大使館地下に保管されていた米軍機F117の残骸を破壊するための米軍の作戦）の落としどころを求め、中国はWTO加盟交渉の最後の山場を迎えており、李登輝の二国論は米中双方にとって、そうした微妙な交渉の邪魔でしかなかったことだろう。

## 「92年コンセンサス」を発表

李登輝は2000年3月の総統選で国民党の敗北を招いたとして、党主席を辞任。その後、「台湾優先」と二国論を基にした中台並存を掲げる政党、台湾団結連盟の精神的指導者となったことが反党行為とされ、2001年には国民党を除籍された。台湾団結連盟は当初、民進党の友好党として存在していたが、その後、民進党と票田を食い合う関係になり、政党としての存在感は埋没してしまっている。

李登輝を除籍した国民党は、二国論と完全に決別した。国民党李登輝政権最後の大陸委員会主任の蘇起（そき）が政権交代直前の2000年4月28日に、1992年に香港で国民党と共産党の間に「一つの中国」に関する秘密合意「92年コンセンサス」があると突如、発表した。

これは李登輝前総統、黄昆輝（こうこんき）行政大陸委員会元主任、辜振甫（こしんぽ）海峡交流基金会理事長がそろって否定し、一大論争となるが、新たな国民党主席となった連戦は、92年コンセンサスを肯定し、以降、国民党は中国との関係を92年コンセンサスで説明するようになっている。

92年コンセンサスとは、91年から双方の民間窓口（中国の海峡両岸関係協会と台湾の海峡交流基金会）が民間交流の実務機関として様々な交渉をするにあたって、双方が交わす公文書に記す国名と「一つの中国」原則の矛盾をなくすために、「一つの中国」の解釈権を中台双方が留保すると口頭で合意したことを指す。

だが、当時の李登輝政権内部では本土派（台湾主体派）と守旧派（中華民国体制での国家統一綱領護持）の派閥対立があり、李登輝としては守旧派の長老をなだめるために、不本意ながら「遠い将来の統一」というかたちで国家統一横領を維持していただけだった。

李登輝が目指していたのは国際社会においての中国と台湾の並存であり、国連などの国際機関への台湾あるいは中華民国としての参加で、１９９６年の直接選挙で、本物の民主的に選ばれた国家指導者となった李登輝は、国民党改革の最後の仕上げとして、この形だけの「国家統一綱領」に疑問を投げかける意味も、「二国論」発表にあったのではないか。

結果として国民党は李登輝と「二国論」を党内から排除した。それが国民党の党内改革の限界でもあった。そして、この二国論を正式に受け継ぎ、発展させていこうとしたのは民進党のほうだった。

## 中国側の要求に応じる

陳水扁政権のスタートには数々の困難があった。

中国との軍事的緊張の高まりをいかに緩和するか。「三つのノー」を掲げる米国の陳水扁政権に対する警戒をどう解くか。立法院の民進党議席は3分の1に満たない少数派であり、どのように政権を運営していくのか。また、長らく国民党の私兵であった軍隊をどう掌握するか。長期国民党政権の継続でできた様々な組織の様々なしがらみが陳水扁の足かせとなった。

結局、就任演説は各方面に配慮し、妥協した「四不一没有」(四つのノーと一つのない)というかたちになる。

「中国が台湾に対し武力行使の意図がなければ、任期中に『独立を宣言しない』『国名を変更しない』『二国論を憲法に入れない』『独立の是非を問う住民投票を行わない』『国家統一綱領の廃止という問題もない』」

中国江沢民政権からは汪道涵を通じて、「一つの中国」原則と「両岸の人民はともに竜の子孫」という文言を就任演説に入れるように要求があった。陳水扁は「一つの中国の問題について一緒に解決していきたい」「両岸の人民の血はつながっており、共同の歴史と文化を有す」という表現で、中国側の要求に応じた。

行政院長には議会と軍への配慮から、国民党員で軍出身の外省人、唐飛(とうひ)を指名し、超党派の全民政府による政権運営を目指した。だが行政トップが国民党出身になったことで民進党の政策は行政に反映されにくくなった。かといって議会で国民党立法委員が政権の支持に回ることもなかった。民進党内部では陳水扁に対する不満が膨らんだ。当時民進党内は5つの派閥に分かれていたが、ほとんどの派閥が陳水扁に不満をもっていた。

## 原発ゼロ政策への転換で混乱

さらに、民進党の公約として掲げていた第四原発建設計画の中止に、原発推進派の唐飛は真っ向から反対した。内閣不一致の混乱が表面化する前に、陳水扁は自ら指名した唐飛を健康上の理由で辞任させるしかなかった。唐飛のあとに行政院長に就任した張俊雄(ちょうしゅんゆう)は、就任直後に第四原発計画中止を発表したことで、野党が過半数を占める議会は猛反発、財界も反発、株価も暴落し、政治は混乱を極めた。

結局、すでに予算が可決されていたプロジェクトを行政院の判断で中止することは違憲であるという最高裁の判断で、第四原発計画は再開されることになった。結果からいえば、その後の台湾世論は反原発に傾き、脱原発を公約に掲げた民進党の蔡英文が２０１６年に総統に当選したことで、台湾は原発ゼロ政策に転じることになるのだが、この当時は陳水扁政権が政治を混乱させた、とやり玉に挙がった。

## チャイナマネーを使った台湾断交

また外交上では、陳水扁は米クリントン政権から明らかに警戒されていた。米政権とほとんどパイプがなかった。ブッシュ政権になってからは、さらに警戒されていた。

２００１年12月に行われた立法院選挙で民進党は２２５議席中、17議席増やし87議席を獲得、第一党となった。国民党は55議席減らし68議席となったが、宋楚瑜率いる親民党がいきなり46議席を取ったので、民進党議席だけでは過半数に届かないことには変わりなかった。

社会運動から生まれた民進党は、もともと民主派、進歩派を含め、異なる意見の人間が反独裁、反国民党という一点だけで同じ舟に乗っただけのごった煮の若い政党であり、初めての政

2016年、総統選挙で勝利した蔡英文

権運営がすんなりとうまくいくわけもなかった。

　こうして妥協からスタートした陳水扁政権だが、その妥協はよい結果を生むことがなく、さらなる妥協が迫られる状況を生んだ。とくに中国は、様々なルートを使って「一つの中国」原則を認めさせようとしてきた。

　就任演説で「四不一没有」という陳水扁としては大幅な譲歩をしたにもかかわらず、中国はチャイナマネーを使って、台湾と正式国交をもつ国々に台湾との断交を迫り、台湾の国際社会の生存空間を狭めていこうとした。

　ついに、台湾と22年の外交関係を維持していた太平洋島嶼（とうしょ）国のナウルが、当時抱えていた７０００万ドルの債務のうち６０００万ドルを中国融資によって肩代わりしてもらう代わりに台湾と断交するに至った。

## ◆「一辺一国」論を打ち出す

ここで陳水扁は、中国への妥協を捨て「一辺一国（いっぺんいっこく）」論を打ち出すことで、その国家観を明確にする。「一辺一国」は李登輝が打ち出した二国論の思想を受け継いだもので、2002年8月2日に東京で行われた世界台湾同郷連合会第29回大会に向けて、陳水扁が贈ったテレビ会議中の祝辞の中で、初めて述べられた。

「台湾は我々の国家であり、我々の国家は欺かれたり、矮小（わいしょう）化・辺境化・地方化されたりしてはならない。台湾は他人の一部分ではなく、他人の地方政府でもなければ、他人の一省でもない。台湾を第二の香港・澳門（マカオ）にしてはならない。なぜならば台湾は一つの独立主権国家である。簡単にいえば台湾と対岸の中国は一辺一国と明確に分かれている」

これは台湾総統として初めて述べる台湾、中国ともに主権国家として対等な二国であるという「主権対等論」でもあり、中国が主張する「一つの中国」原則論を真っ向から否定するものだった。中国は当然激怒し、台湾の株価は一時的に下がった。また、米国も陳水扁政権に対する警戒をさらに深めることになった。だが民進党支持者はこれを喜び、2002年の5月11日の台北デモで最高潮の盛り上がりをみせていた台湾正名運動（中華民国ではなく台湾を正名とする運動）を後押しすることになった。

## パスポートにTAIWANと付記

2002年の台湾正名運動は、在日台湾人の外国人登録証明書の記載を昭和27年以来ずっと中国としているのを「台湾」に変更させることを目的としていたが、この運動のプロセスで、2003年9月1日から中華民国パスポートにTAIWANと付記されるようになり、台湾アイデンティティ、台湾ナショナリズムが広く浸透していくことになった。ちなみに日本が在日台湾人の外国人登録証明書の記載を「中国」から「台湾」に変更するようになるのは2009年7月になってからだった。

陳水扁の「一辺一国」は明らかに李登輝が打ち出した「二国論」を受け継ぐ思想だが、そもそもこの「二国論」の起草には当時、李登輝政権下で、エコノミストとして国際経済組織主席法律顧問などを務めた蔡英文が関わっていた、とされている。李登輝の秘蔵っ子といわれる優秀な官僚だった彼女は、2000年5月、民進党政権の行政院大陸委員会主任となった。

私は当時、大陸委員会の蔡英文主任による記者会見に出席したことがある。彼女の会見は最初から最後まで英語で、会場には中国人記者もいて、中国語の質問も受けていたが、「中国語」で答えることはなかった。会見は、記者の手が挙がらなくなるまで続けられ、質問に答えなかったり、無視したりするということはなかった。颯爽とした官僚政治家であったという印象をもっている。

国民党李登輝政権で活躍した官僚が民進党陳水扁政権の両岸政策を支えるようになったいきさつは、やはり李登輝も彼女も、そして陳水扁も台湾に対する国家観が共通していたということだろう。二国論から一辺一国へ、そして蔡英文政権が2016年に誕生したのちに概念として広まっている「天然独立」へと、確実に中国とは異なる対等な主権国家・台湾の形が形成されていったといえる。

## 総じて見れば安定した政権

陳水扁政権の受難は続いた。2002年は、地方の国民党利権と結びつき腐敗の温床となっていた農漁協信用部（いわゆる農漁協融資部）の改革から始める予定であった金融改革は、国民党の猛烈な抵抗と、生活の不安定化を恐れる農漁民の抗議デモに遭い、頓挫。2003年は、中国発の感染症ＳＡＲＳが台湾に蔓延（まんえん）した。だが総じて見れば、陳水平政権は比較的うまく困難を乗り越えてきたように思う。

経済は２００１年に戦後初めてのマイナス成長を経験するも、２００２年は５・４％、２００３年は４・２％、２００４年は６・９％と経済成長は比較的順調であった。一辺一国論で、中国は激怒してみせたが、李登輝の二国論発表のときほどは緊張せず、比較的安定していた。公約であった福祉政策「三三三福利方案」（若年世帯向けの３％の低金利住宅ローン、３歳以下の幼児の医療費補助、毎月３０００元の老人福祉補助）はすべて実現した。

## 陳水扁銃撃事件の真相

だが２００4年3月の総統選では、苦戦が予想されていた。

一つの要因は、２０００年の総統選挙で対立し合っていた国民党の連戦と親民党の宋楚瑜が、陳水扁政権を打倒すべく総統・副総統としてペアを組んで出馬したことが大きい。

この厳しい総統選の投票日の前々日に、世界が驚愕する事件が起きた。陳水扁が故郷の台南市で、選挙カーの上での遊説中に狙撃されたのだった。私はそのとき、北京特派員として台北に取材応援に来ており、錯綜（さくそう）する情報に右往左往しながら「前代未聞の政治テロ」といった原稿を書いたのを覚えている。

陳水扁と副総統候補の呂秀蓮が乗ったオープンカーは、沿道に仕掛けられた歓迎の爆竹の音に一瞬スピードを緩め、その瞬間に銃撃された。フロントガラスに蜘蛛(くも)の巣状のひびが入り、爆竹の白煙の向こうで陳水扁に駆け寄る警官の姿が、沿道の支援者たちの目に映った。当時は犯人がわからず、狙撃の目的もわからなかった。民進党には「射殺する」といった脅迫状が送られていたが、そのような脅迫状は頻繁にあり、この狙撃と関連するかもわからなかった。

幸運なことに、この狙撃は、銃弾が陳水扁の腹の脂肪の部分を筋肉をかすめるかたちで貫通し、内臓を傷付けるものではなかった。命に別状はなく、選挙は続行された。

そして、「政治テロ」に晒された陳水扁には同情票が集まった。陳水扁は647万票を得て、連戦の644万票に僅差で勝利した。この銃撃がなければ、陳水扁の2期目再選はなかったかもしれない。そういう意味ではこれは陳水扁の命を狙った凶弾だったかもしれないが、当選させた幸運の銃弾ともいえた。

このことから国民党は、陳水扁のこの銃撃事件が、同情票を集めるための自作自演のやらせであると言いがかりをつけた。連戦は涙を流して、「このような不公平な選挙を受け入れるわけにはいかない」「昨夜の総統銃撃事件は疑問点が多い。今だに真相が明らかになっていない」

と支持者たちに訴えた。

陳水平政権2期目は「疑惑の選挙」という汚点をつけられたままスタートすることになった。防犯カメラなどで特定された狙撃犯の陳義雄は事件10日後、謎の溺死体で発見され、被疑者自殺というかたちで事件の真相は今も謎のままだ。司法も様々な角度から審理を行い、ようやく2004年11月に陳水扁の当選が確定した。

この狙撃事件については、のちの2019年、オーストラリアに亡命した反体制派学者の袁紅冰が、中国共産党の工作員が選挙の混乱を引き起こすために起こした事件だと台湾メディアの『三立新聞』に語っている。袁は、この情報をどのように手に入れたかは明かしていない。

当時、解放軍総参謀部二部に創設された台湾工作チームによる計画で、計画の総責任者は中央弁公庁副主任の令計画、計画立案者は解放軍総参謀部第五局長の辛旗、軍情報部の熊光楷が実行責任者だったという。目的は選挙を混乱させることで、同時に国民党を再度落選させること。国民党が二度続けて落選すれば、国民党の残された道は共産党化しかない、という分析の下に行われた計画だったという。ちなみに2010年の統一地方選挙で連戦の息子の連勝文が狙撃された事件も、共産党の工作員が絡んでいるとしていた。

## 陳水扁の「機密費横領」疑惑

不穏な幕開けからスタートした陳水扁2期目は、続いて機密費横領疑惑と呉淑珍夫人の横領問題に翻弄される。

2005～06年ごろから陳水扁周辺で汚職事件が発覚しはじめた。第1期目の陳水扁政権の総統府秘書長で2期目陳水扁政権の国策顧問を務めていた人物で、今の高雄市長の陳其邁（ちんきまい）の父親の陳哲男が、高雄捷運（たかおしょううん）（MRT）建設における業者との癒着について国民党立法委員の邱毅（きゅうき）から追及を受けた。続いて台湾大学付属病院勤務の医師で、陳水扁の娘婿の趙建銘に台湾土地開発公司のインサイダー取引疑惑が表面化、複数の医薬品メーカーからの贈賄容疑もあり、身柄を拘束される騒ぎとなった。さらに、呉淑珍夫人が陳哲男から太平洋そごうの商品券を受け取り、そごうの人事に介入したというスキャンダルも出た。

また、龔照勝・金融監督管理委員会主任委員が台湾糖業公司会長時代の汚職疑惑により、職務停止処分となった。謝清志・国家科学委員会副主任委員は、台南科学園の振動対策工事（新幹線対策）に関する汚職疑惑にて拘禁され、即日辞任した。

こうした波状攻撃的に出現したスキャンダルを受けて、陳水扁の国民党の汚職政治と戦う清廉な英雄のイメージは失墜した。2006年5月31日、憲法規定にある総統の職務を除き、実権を下部機関へ委譲することを宣言した。

だが、6月になって陳水扁自身がさらに「機密費の横領」疑惑を突き付けられることになった。陳水扁が民間から公務に無関係な領収書を集めて提出し、機密費を横領した、というものだった。その領収書にはホテルの飲食費から女性用下着やペットフードまで含まれていることまで毎日、スキャンダラスに報じられた。

## 反中活動の支援をする必要があった

11月、呉淑珍が検察当局から総統府機密費1480万新台湾ドルを横領したとして、汚職と文書偽造で起訴された。これにより、野党だけでなく与党からも陳水扁退陣の声が上がり、陳水扁は絶体絶命の危機に瀕（ひん）した。陳水扁自身はニセの領収書を提出したことは認めたが、機密費の私的流用はいっさい否認している。

当時、台湾は中国のチャイナマネーを使った外交圧力によって次々と友好国を失っている状況で、台湾の外交を守るために使われたと主張している。台湾の国際組織加盟を支援してくれている主要国の親台派議員選挙への資金供与などもこうした機密費から出されていたというが、どの国の誰に、ということは当然機密であり、いっさい明かせないものだった。

じつのところ、李登輝政権時代は陳水扁時代の3倍の機密費が使われていた。だが、陳水扁政権になって、こうした使い放題の機密費にも使途の明細が必要となり、陳水扁夫妻の友人らに頼んで領収書をかき集めたのだという。

陳水扁が金銭に執着しない人物であることは、その周辺では有名だった。総統に就任してのち、台湾経済がITバブル崩壊で危機に瀕したとき、総統の月給は80万新台湾ドルだったが、その半分を国庫に返すようにした。2期8年の総統任期中に陳水扁が国庫に返還した総統給与、ボーナスは5000万新台湾ドルに上るという。

陳水扁の機密費使用の目的が台湾外交維持のためながら、表沙汰にできない金であったことは事実だろう。天安門事件の学生指導者、王丹は陳水扁の裁判で、在米民主活動家として活動資金20万ドルを機密費から受け取ったことを証言している。

実際、中国は台湾と外交を結ぶ南太平洋島嶼国の国会議員にチャイナマネーをばらまいて選挙を操り、親台国を親中国に転換させているのだから、こうした外交圧力に対抗するためには、台湾側も在外の反中勢力や反中政治家の活動支援をする必要があったのだ。それこそ機密費の本来の使い方であったが、当時議会も司法もメディアも党内も、そして米国など国際社会も陳水扁の敵に回っていた。

## 逆転無罪の判決

夫人の呉淑珍にも隙があったことは否めない。陳水扁政権は2期目から本格的に金融改革に取り掛かっていたが、生き残りをかけた金融機関や大企業は呉淑珍を狙った。現金や宝石、プレゼントを贈り、お世辞を語り、夫人から陳水扁に口をきいてもらったり、とりなしてもらおうとした。彼女は台南名家の裕福な医師の家庭に生まれ、蝶よ花よと育てられたお嬢様で、そうした特別扱いを結婚前はごく普通に受けていた立場の女性だったから、警戒心が足りなかった。

呉淑珍が、貧乏弁護士の陳水扁と結婚した当初、呉淑珍の両親は強く反対し、当初は駆け落ち同然だったともいう。しかも陳水扁が民主化運動に関わり、政界進出をしたことで呉淑珍は政治テロに遭い、半身不随となった。本来、苦労知らずのお嬢様に地獄を見せてしまったという陳水扁の妻に対するうしろめたさから、妻がファーストレディとして取り巻きに持ち上げられて無邪気に喜ぶことを陳水扁は厳しく諌(いさ)めることができなかったのではないか、ともささやかれた。

呉淑珍は、機密費を流用して宝飾品や衣服を購入した容疑や、選挙用に集めた政治資金の一部を不正にスイスの長男夫妻の海外口座に送金した疑いなどで主犯格で起訴され、陳水扁も共犯とされた。

陳水扁は、総統任期中は不逮捕特権で逮捕されなかったが、総統の座を降りてから逮捕された。だが、私文書偽造などは認めても、機密費横領容疑については徹底的に否認し、拘置所で抗議のハンガーストライキを行い、病院に緊急搬送された。

陳水扁は２００８年12月に４つの罪（機密費横領、政治資金のマネーロンダリング、桃園県龍(りゅう)潭郷(たんきょう)土地開発に関わる収賄、台北１０１ビル工事入札に関わる収賄）で起訴された。控訴、追訴、判決差戻を繰り返す長く複雑な裁判を経て、最終的に高等法院は機密費横領罪については逆転無罪の判決を下した。

台湾最高検はこれを不服として最高法院に上告したが、その後、陳水扁の自殺未遂やうつ病問題から、病気回復まで審理延期を問うかたちでこの裁判は終了。呉淑珍は収賄などで懲役11年６カ月の有罪判決を受けたが、障害などを理由で自宅療養が認められた。

## 中国共産党の介入があった

陳水扁は2015年1月、約6年の収監生活から釈放され、自宅療養が認められた。2014年秋の地方統一選挙で国民党が惨敗し、台北市長選で無所属の柯文哲(かぶんてつ)が当選したことと関係がある。柯文哲は陳水扁の主治医であり、医師として陳水扁の早期釈放の必要性を訴えたからだ。

国民党政権の惨敗の理由は、2014年春に起きた「ひまわり学生運動」以来高まる馬英九政権に対する世論の不信感があり、中国共産党と結託している売国奴政権のイメージがつき始めた馬英九が不当に攻撃する陳水扁への同情が折しも高まっていた。

ちなみに、陳水扁総統夫妻の汚職追及で最も舌鋒(ぜっぽう)鋭かった当時の国民党立法委員の邱毅は、赤裸々な中台統一派であり、中国メディア上で中国の台湾武力統一を支持する言動もするような親共産党的な人物だ。

陳水扁自身が『産経新聞』のインタビュー連載「話の肖像画」の中で、事件には共産党の介入があったとしている。陳水扁裁判が行われた馬英九政権時代は、中国・胡錦濤(こきんとう)政権が最も巧妙に台湾世論を操った時代であったことがのちに判明する。馬英九は中国共産党と水面下で連携し、「二国論」の後継論である「一辺一国」論を掲げ、台湾の独立した主権国家の地位を主張する「台独派」のシンボルであった陳水扁を叩き潰そうとしたのではないか。

これは、中国共産党にとってそれだけ陳水扁政権が脅威であったということでもあろう。だからこそ、中国・胡錦濤政権は総統選挙に銃撃事件というかたちで介入し、さらには反国家分裂法を制定して恫喝しつつ、台湾海峡の現状を一方的に変えようとしているのは陳水扁政権側だと米ブッシュ政権に思わせ、さらに国民党議員や台湾メディアを通じて世論誘導し、陳水扁を汚職総統に仕立て上げたのではないか。

そして馬英九政権を通じて、ほぼ完璧なかたちで台湾統一に向けた外堀を着々と埋めてきたわけだが、それをあわやというところで阻んだのが、陳水扁政権8年の間に自由な教育を受けて成長した若者、学生たちだった。つまり「ひまわり学生運動」である。

## 馬英九政権と胡錦濤政権の蜜月

中国と台湾が最も緊密であり、台湾はいずれ中国と統一されるであろう、それでも構わない、と思う台湾人が最も多かった時代は、おそらく馬英九政権1期目の2008年から2012年であっただろう。この4年の間の中台緊密化には目を見張るものがあった。

馬英九は香港で生まれ、2歳のときに両親とともに台湾に移住、台北大学法学部に進学。在学中、国民党に入党し、卒業後は中華民国海軍に入隊、1年10カ月後に退役。その後、国民党の奨学金を得て米ニューヨーク大学ロースクールに留学、修士学位を取り、同級生の周美青と米国で学生結婚し、長女をもうけながら、ハーバード大学ロースクールの法学博士の学位を取った。

1981年に台湾に戻ると蔣経国総統（当時）の英語通訳に抜擢され、その後は国民党中央委員会副秘書長、行政院研考会主任委員兼大陸委員会工作匯報（かいほう）執行秘書、国家統一委員会研究員、大陸委員会スポークスマン（副主任）などを歴任。1993年の李登輝政権下で行政院長に任命された連戦が法務部長（法務相）に抜擢した。

若くハンサムな国民党のエースとしての実績を積み重ね、1998年に陳水扁の対抗馬として台北市長選に出馬し圧勝する。このころの馬英九に私は一度インタビューしたことがあったが、インタビューの中身より、とにかくいつも台湾人女性に囲まれて、黄色い声援を受けていたことのほうが印象に残っている。ファンの女性たちにべたべた触られてもにこやかに対応し、おそらくは彼の人気はその行政手腕より、マダムキラー的な容貌とリップサービスにあったと思う。

2005年に国民党主席選挙で対抗馬の王金平（おうきんぺい）に圧倒的な差をつけて当選。2007年2月、台北市長時代の首長特別支出費の一部支出について横領容疑で起訴されたことも、2008年の総統選挙候補となることへの大きな妨げにならなかった。馬英九はいったん党主席を辞任するも、無罪判決を勝ち取った。

2008年3月の総統選は陳水扁のスキャンダル、経済の悪化などの影響で民進党・謝長廷候補の惨敗となった。馬英九の得票数は765万8724票で、当時は史上最高得票数と話題になった。

8年ぶりに政権を奪還した国民党馬英九政権は、まず中台関係の回復を目指した。馬英九は選挙時、台湾人意識を全面に押し出し、台湾化路線を打ち出していた。だが、政権のスタートはリーマンショックによる経済のどん底であり、その救済策を2008年11月に4兆元という異次元の財政出動政策を打ち出した中国との関係改善に見出したのだった。

## 胡錦濤政権の柔和な対台湾政策

当時の中国は胡錦濤政権2期目の半ばで、北京夏季五輪での成功を喧伝（けんでん）し、中国は国際社会における自国イメージをかなり気にしていた。このため、2005年に台湾に対して反国家分裂法を制定し、一辺一国論を打ち出した陳水扁政権を牽制した以外は、台湾に対しては比較的穏当な表現に終始している。

その反国家分裂法も、武力行使の条件について「『台独』分裂勢力がいかなる名目、いかなる方式であれ台湾を中国から切り離す事実をつくり、台湾の中国からの分離をもたらしかねない重大な事変が発生し、または平和統一の可能性が完全に失われたとき、中国は非平和的方式やその他必要な措置を講じて、国家の主権と領土保全を守ることができる」と限定した。江沢民政権のときは、台湾当局が無期限に交渉を引き延ばした場合も武力行使を排除しないとしたことと比べると、じつに柔和な表現になっている。

胡錦濤の対台湾政策は2005年の「胡四点」、2008年の「胡六点」という表現でまとめられている。胡四点とは、①「一つの中国」原則を堅持して絶対に揺るがせない。②平和統一を勝ち取る努力を絶対に放棄しない。③台湾人民に最後まで希望を寄せる方針を絶対に変えない。④台湾独立活動に反対して絶対に妥協しない。

胡六点は、①「一つの中国」を守り、政治の相互信頼を増進する。②経済協力を推進し、共同発展を促進する。③中華文化を発揚し、精神的紐帯（ちゅうたい）を強化する。④人的往来を強化し、各界交流を拡大する。⑤国家主権を擁護し、対外事務を交渉する。⑥敵対状況を収束させ、平和協議を達成する。

平和統一という言葉は使っているが、武力行使についても祖国統一という言葉も避けたのが胡錦濤の対台湾政策の特徴だ。

## 拡大する中台の通商、通航、通郵

こうした胡錦濤政権の対台湾政策の軟化もあって、馬英九政権も懸案だった両岸の三通（通商、通航、通郵）の拡大を進めることができた。

両岸三通は２００１年以降、小三通というかたちで、主に親族相互訪問のために部分的に進められていたが、陳水扁政権は全面的三通に抵抗していた。

２００８年暮れには春節の帰郷、旅行を促進するために直行チャーター便を週１０８便に拡大し、外国籍者も利用でき、郵便、送金も香港経由を取りやめた。２００９年春には定期便が２７０便となり、台湾への国別来訪者数は中国が日本を超えて97万人となった。以降、中国人観光客は２０１６年の蔡英文政権に代わるまで増え続ける。ピークの２０１５年には、訪台者数１０４４万人のうち４１８万人が中国人だった。

さらに両岸経済協力枠組協議（ＥＣＦＡ）による中台経済緊密化を急速に進めた。これは２

005年に連戦国民党主席が歴史的な訪中を実現し、胡錦濤と会談した際に打ち出した大中華経済圏構想につながるもので、馬英九も総統選のときに目玉の経済政策として掲げ、2010年に正式に締結された。このとき、台湾世論のECFA締結に対する支持は6割を超えていた。2010年に中国のGDP規模は日本を超えて世界2位となり、中国が世界経済に果たす役割を肯定的に考える国際世論が広まっていた。

馬英九の行政手腕は、決して優れた部類には入らないと思う。2009年8月、台風8号により、台湾は500人以上の死者を出す過去最悪の被害を受けるが、この被害は馬英九政権の救援活動の遅れが原因とされ、世論は馬英九を非難した。それでも、胡錦濤政権が協力的だったおかげで何とか政権を保っていた。1期目の馬英九政権の支持率は、おおむね20%から40%台でアップダウンしながら推移していった。

## 2012年総統選挙――「いつの日か私たちは戻ってきます」

2012年1月14日に投開票が行われた総統選挙は、現職の馬英九と元行政院長の呉敦義(ごとんぎ)に、蔡英文・民進党主席と蘇嘉全(そかぜん)・秘書長ペアが挑むかたちとなった。親民党主席の宋楚瑜も台湾大学名誉教授の林瑞雄とともに出馬したが、かつての人気はすでになく、最終的には国民党vs民進党の一騎打ちのかたちになった。

この選挙は私も現場で取材し、よく覚えているのだが、蔡英文がかなりいい感じで選挙運動を展開していた。選挙資金の少ない、民進党らしい手作り選挙が、選挙資金をふんだんに使える与党国民党によく食らいついたと思っている。

蔡英文候補は元学者で官僚としての職歴が長く、どこかエリート然とした冷たい感じがしており、民進党の票田がある台湾南部の素朴な人たちには評判が今一つといわれていた。また、民進党員に正式に入党したのは2004年で、党歴8年で総統候補となったことに党内に反発がなかったわけでもなかった。

民進党側は福祉政策と経済格差是正を公約に掲げ、馬英九政権の中台関係改善を台湾の主体性を脅かすもの、と批判した。結果的には馬英九が得票率51・6%、蔡英文が45・63%で馬英九が2期目総統続投を決めた。だが、6%の得票差は惜敗といっていいだろう。

投開票後、降りしきる雨の中で、ずぶ濡れになりながら支援者の前に立った蔡英文は「皆さんが下した選択を受け入れたい」と敗北を認め、馬英九の勝利を讃えた。そして「親愛なる台湾国民の皆さん、いつの日か私たちは戻ってきます。私たちは諦めません。皆さん、ありがとう。私の心は永遠に台湾国民とともにあり続けます」と訴えた。このとき蔡英文の顔は濡れていたが、それが雨だったのか涙だったのか。この敗北が4年後の蔡英文総統をつくるわけだが、それはまたのちに語る。

## 台湾企業が次々に「92年コンセンサス」を支持

馬英九総統の最大の勝因は、ひとえに中国・胡錦濤政権のアシストが大きかったといえる。ECFA締結によって、2011年、中国は台湾農産物にとって2番目に大きい市場となった、と喧伝された。

中国は統一地方選挙が実施された2009年以降、「採購」と呼ばれる、中国地方政府ごとの買い付け団の訪台による農産物大量購入を行なった。そうして民進党の支持基盤だった中南部の農家・養殖漁業家の投票行動に影響を与えよう、という中国側の戦略であったことは間違いない。ただ、これが実際に台湾農家に大きな恩恵をもたらしたか、投票行動に影響したかというと、そうでもなかったことがのちに判明していくわけだが。

また、当時の国務院台湾事務弁公室主任は今、政治局委員となって外交を仕切る最高位の立場にいる王毅(おうき)であったが、今の習近平政権下の王毅とは違い、武力をほのめかすような恫喝的な発言はしなかった。「92年コンセンサス」を認めなければ、両岸同胞の利益を傷つける、と訴える程度だった。

馬英九は「92年コンセンサス」で「一つの中国」を掲げると同時に、三つのノー「統一しない、独立しない、武力行使しない」の原則で中台関係拡大を訴えた。この92年コンセンサスに対抗する概念として、蔡英文は「台湾共識」という言葉をつくったが、中身はなく、多くの有権者にとって海峡の現状維持を意味するのも「92年コンセンサス」のほうになった。

さらに選挙終盤、大陸市場に投資を行なっていた台湾企業が次々に「92年コンセンサス」支持を打ち出した。中でも、もともと民進党支持者だった長栄集団会長の張栄発が「台湾共識は台湾独立の主張だ。92年コンセンサスが両岸対話の基礎だ。もし92年コンセンサスをもたない人が総統になれば、台湾経済は悲惨なことになる」と語ったことは、1月4日付の台湾各紙のトップニュースとなった。ほかにも郭台銘（フォックスコン会長）、尹衍梁（潤泰集団総裁）、王文淵（台湾プラスチック総裁）、厳凱泰（裕隆集団総裁）、徐旭東（遠東集団総裁）らが次々と92年コンセンサスあるいは馬英九支持を表明した。

## 本心ではなく中国当局の圧力によるもの

中国が、大陸投資を行なっている台湾企業にこうした発言をさせ、世論を揺さぶるのは、こ

台南市の奇美博物館。実業家・許文龍が創設

れが初めてではない。2005年3月26日、陳水扁政権のブレーンであった奇美集団創業者の許文龍は「台湾、大陸とも一つの中国に属する」「台湾は中国経済と離れられない」「あえて大陸に投資したからには、我々は台湾独立は支持しないし、台湾独立を支持しないのは、それによって奇美が大陸でいっそう発展するからだ」といった内容の公開書簡を発表させられた。

これは許文龍の本心ではなく、大陸進出した奇美の工場に中国当局が種々の名目で罰金を科したり、幹部を逮捕したりと圧力をかけ、企業幹部らから泣きつかれて仕方なしに出した声明であったことが、のちのちの関係者の証言で判明している。

だがこの総統選の時点では、台湾経済が中国に過剰に依存することの危うさを有権者はまだよく理解しておらず、大企業家たちの馬英九支持はノンポリの有権者の投票行動に影響した。

## ◆米国在台湾協会の介入

もう一つの馬英九勝利の要素としては、米国オバマ政権の姿勢があった。当時のオバマ政権はアジアピボット（アジアへの回帰政策）を打ち出したばかりだったが、基本は中国と蜜月関係維持であった。だから、中国と安定的関係を維持した馬英九政権1期目を高く評価し、民進党・蔡英文に対しては、その安定した馬英九に挑戦する存在として嫌っていた。

２０１１年9月に蔡英文が訪米したとき、当時のオバマ政権の蔡英文に対する評価は、「蔡英文は近年に両岸関係と地域が享受してきた安定を維持する意欲と能力があるのか、私たちに大きな疑問を残した」と大変低い。

そして、極めつきは総統選投開票日の直前に、ＡＩＴ（米国在台湾協会）の前台北事務所長（大使に相当）のダグ・パールが「馬英九の再選は大きな安心になる」と露骨に馬英九を支持するコメントを出したことだった。これは、米国は蔡英文を支持していない、という有権者に対するメッセージであり、正直、選挙介入に近い。国際社会の孤児として心細い思いをしてきた台湾有権者にとって、米国がどちらを支持しているのかは当然、影響があったのだ。

だが、2012年1月の台湾有権者の選択は、その2年後、台湾を大きな危機に陥れることになった。

## 台湾の運命を変えたターニングポイント「ひまわり学生運動」

2022年9月、台湾の新型コロナ防疫政策が少し緩んだ段階で台北を訪れたとき、私は民進党副秘書長（当時）の林飛帆（りんひはん）を訪ねた。顔を合わせたとき「私のこと、覚えている？」と尋ねると、「もちろん！」と答えていたが、本当だろうか。

私は彼のことをよく覚えている。彼は、2014年3月、中台サービス貿易協定の可決を妨害するために立法院議場の占拠を行なった若者たち、ひまわり学生運動のリーダーの一人だ。

3月30日、総統府からまっすぐ400m伸びる凱達格蘭大道（ケタガランたいどう）を埋め尽くした50万人の群衆に向かい、「政府に告ぐ。台湾の未来は2300万の台湾人民のもので、台湾の未来は我々自分たちで決めなければならない。……今日が終わりではなく、この50万人が街頭に立った今日、台湾の歴史の新たな一ページになる！」と叫んだ姿も、3月27日、突然立法院にやってきた私に30分も時間を割（さ）いて、インタビューに応じてくれたことも、よく覚えている。

あのとき、ひょっとすると不法侵入罪などで前科がついたかもしれない若者が、今や与党の副秘書長を務め、将来を嘱望(しょくぼう)されているのだから、感慨深い。

彼と最初に会ったのは2014年3月26日、ひまわり学生運動の現場であった。その後、改めて取材を申し込みインタビューしたことがあり、そうした内容を拙著『SEALDsと東アジア若者デモってなんだ!』(イースト新書)に書いたことがある。

インタビューに応じる林飛帆

SEALDsの活動は、今の日本の政治にほとんど痕跡を残していないが、ひまわり学生運動は、香港の若者を勇気づけて雨傘(あまがさ)運動を引き起こし、現蔡英文政権が誕生する機運をつくり、中国に併呑(へいどん)される台湾の運命を変えたターニングポイントとなり、国内外に広く影響を与えた。

## ◆黒箱の中の合意

馬英九政権は2期目になると、中台関係の緊密化に前のめりになった。中台サービス貿易協定はECFAの協議事項の一つで、金融・通信・出版・医療・旅行など、サービス関連の市場を相互に開放し、新規参入を促すもの。2011年3月から交渉が始まっていた。

馬英九政権は2013年6月に、その協定について業界の意見聴取もせず、中台できわめて早急に「黒箱（ブラックボックス＝密室）」の中で合意し、協定の中身が明らかになったのは調印後だった。中国側が80項目、台湾側が64項目の相互市場を開放（台湾側は27項目がすでに開放済）という内容は、中国側が開放する項目が圧倒的に多いうえ、台湾にとって不平等な内容が多かった。

たとえば、中国企業は卸売・小売業分野では独資、合資、合弁など形式に制限がない。だが、台湾企業が中国市場に進出する場合は、小売店は累計30店舗を超えてはならない、農薬・食料・植物油など商品経営の出資比率は65%を超えてならない、などの制限がある。また中国に進出する台湾出版業は中国企業より出資比率が多くてはいけない。台湾の出版業は小規模経営が主流で、中国に進出するほどの資金もなければ、進出しても出版は当局の管理を受け、自由にはならない。

一方、中国の出版企業は地方政府や党組織が経営し、党の宣伝方針に従って業務を行う。資金も豊富で台湾出版界が中国共産党系出版社に牛耳られかねない。そうなれば出版物を通して台湾人が「洗脳」される、という恐れもある。銀行業も中国は資産にして台湾の20倍、利潤にして40倍の規模。台湾の銀行はあっという間に中国の銀行金融業にのみ込まれ、台湾経済の自律性は決定的に損なわれる。米韓FTA（自由貿易協定）は協議に6年も費やした。自由貿易とはそんなふうに慎重に協議されるものなのに、こんなに短時間で決められたのは、背後に馬英九政権と中国側に政治的取引があったのではないか、という疑いも出てきた。

この協定は発表されるなり猛烈な反発に遭い、台湾政府は立法院で項目一つひとつを審議して批准するまで発効しないことを約束した。だが委員会での審議は与野党間でもめにもめて膠着。3月17日午前、遅々として審議が進まない状況に与党側立法委員が業を煮やし、一方的に審議打ち切り、強行採決することを宣言した。

## 立法院に突入

学生たちはこれを聞いて、すぐさま立法院前に抗議に駆け付けた。立法院での強硬採決を何としても阻止せねばならない、と思ったという。最初に集まった林飛帆ら学生たちは「黒色島国青年陣戦」（黒島青）という学生運動・社会運動の常連中核学生メンバーで、17日から何度も討論を行い、18日午後には「立法院占拠」の方針を打ち出した。

「これは立法院の機能不全が原因。ならば立法院のツケは立法院に払ってもらおう、と思った」と林飛帆は語っていた。

学生たちは18日午後9時ごろ、立法院に南側の門から突入した。正門前には古株の社会人台湾独立派運動組織・公投護台湾連盟（公投盟）が集会を開いていた。公投盟は台湾大学の蔡丁貴教授が発起人となって２００８年に結成、この5年間、毎日24時間、公民投票法の改正を要求して毎日立法院前で座り込みをしてきた。そのため警備の警官が正門に集まっていたので、南門ががら空きだったという。

約３００人が立法院になだれ込んだのちは、公投盟の運動家も学生も一緒になって議場内の入り口に椅子などでバリケードを築いた。その夜は警官隊が無理やりドアをこじ開けようとするのを、運動家、学生らが内側から懸命に押さえていたという。王金平院長が学生たちを強制排除するつもりがない、と伝わると学生たちも安心し、社会人活動家たちは外に出て学生主体の運動に切り替わった。

そして23日間占拠し続け、ついに「協定への両岸監視監督条例が成立するまでサービス貿易協定について与野党協議しない」という王金平立法院長の譲歩を引き出した。学生たちは勝利を宣言し、4月10日に撤収した。当初こそ立法院不法占拠という「違法行為」に非難の声も多かったが、非暴力の徹底、統制のとれた戦略的運動展開に、学生たちを評価する声が圧倒的となった。

## 統率のとれた議場内の組織編制

私は当時、学生による立法院占拠の一報を聞き、3月26日に台北に飛んだ。27日昼頃、いきなり立法院を訪れ、記者証も紹介状も何も用意していなかったが、日本から来たジャーナリストだといって著書などを見せて、黒色島国青年陣戦の中心メンバー、林飛帆と陳為廷(ちんいてい)にインタビューしたいと説明すると、快く立法院内に招き入れられ、30分ずつ時間をいただいた。

議場内は被災地の災害対策本部かと思うような統率のとれた組織編制になっており、物資管理班、メディア対応班、情報発信班、医療班……果ては35カ国語対応の通訳班まで約10の様々な班に分かれ、それぞれに班長がおり、問題が起きれば速やかに協議、判断し伝達された。

とくに情報発信班の実力は大したもので、学生たちはネットの動画サイトやフェイスブックなどＳＮＳを駆使して、リアルタイムで学生側の主張、状況の進展などを世界中に発信。日本の『ニコニコ動画』の24時間議場中継も、学生たちが撮影カメラを回し、大勢の日本人ネットユーザーが日本語で応援コメントを書き送っていた。

余談だが、その中に「ホエホエクマー」という言葉が当時、日本のネット上で流行（はや）った。これは台湾学生たちが叫ぶスローガン「退回服貿（サービス貿易撤回＝トゥイホゥイフーマオ）」がホエホエクマーと日本人の耳には聞こえるからだ。そのうち日本人のネットユーザーが「吠えているクマ」のイラストをネット上で発表することで学生運動を応援しはじめたが、それがタイワンツキノワグマという台湾固有亜種の希少動物をイメージさせ、台湾学生たちも運動のキャラクターとしてホエホエクマーを使いだした。ネットを通じて寄せられた日本の若者の応援メッセージは学生たちに勇気を与えたようで、印刷され、立法院周辺にずらりと張り出されていた。

議場内は大型プロジェクターがあり、政府側の会見や学生側の集会の中継が流されている。壁には美術班の力作らしい馬英九総統や江宜樺（こうぎか）首相の似顔絵、ひまわりやブラックボックスをモチーフにしたポスターやスローガンが張ってあった。議席の部分にメディアが陣取っている。議席後方では学生たちが寝袋で仮眠をとっていたり、試験勉強をやっていたりした。

立法院長の計らいか、電気、水、空調は止められておらず、トイレも清潔だ。食事は民進党や支援者らから仕出し弁当などが差し入れられていた。ゴミは分別収集され、全体に整理整頓が保たれている。議場内に入るにも体温を測られ、手をアルコール消毒するよう求められる。感染症対策がしっかりしていると感心した。

運動の要求が明確でわかりやすいのも特徴だった。要求は4項目、①サービス貿易協定撤回、②両岸協議監督条例をつくり、協定については再審議、③公民会議の開催、④国会への信頼回復。これだけの組織を短時間でつくり、統率し、機能させている。ものすごいリーダーシップだった。

## 「学生の暴徒化」の演出は失敗

この学生たちの立法院突入のニュースを受けて、多くの学生・市民が全国から続々と「応援」に駆け付けた。台湾教授会はじめ大学関係者、教育界は学生を支持した。学生のために授業を休講とする学部もあった。1～2万人の学生・市民が立法院内に突入した学生を守るように周辺で座り込みを開始。その学生たちを支援するように、立法院周辺で小さな飲食業や小売店の経営者らが無料で飲食品を配りはじめた。新北（しんほく）市の花屋は学生の行動を応援しようとひま

2014年の「ひまわり学生運動」

わり１３００本をもってきた。

　太陽に向かって咲くこの花が、理想に向けて行動する学生のようだ、と以降、この学生運動は「ひまわり学生運動」と名付けられるようになった。立法院周辺には全国からの支援が集まり、仮設トイレ・シャワーからＷｉ－Ｆｉ基地、貸出寝袋やテントまで瞬く間に兵站が整った。この見事なロジスティック管理は、専門家らがアドバイザーに入っているそうだが、学生主体で運営されているという。

　３月23日、一部学生たちが行政院に突入する事件が起きた。これは立法院内を占拠していた林飛帆とは別のグループによる行動だった。この行政院突入を親中国派メディアは「学生の暴徒化」と報じ、世論も「学生はやりすぎだ」と批判に傾きかけた。

江宜樺行政院長（首相）は警察に行政院内の学生の強制排除を依頼し、警官隊２５００人と高圧放水車を使った暴力的な排除が行われた。負傷者は警官学生を含めて１３０人を超え、30人以上が現行犯逮捕（全員不起訴）されたが、丸腰の学生に対する暴力的排除で、台湾世論、国際世論が一気に学生に同情的になった。のちの目撃証言を整理すると、行政院突入には台湾のマフィア組織、竹聯幇のちんぴらたちが挑発、煽動していたという。

竹聯幇の中興の祖ともいわれる大物マフィア・張安楽は台湾警察から指名手配を受けていた15年間、中国の深圳に潜伏、２０１３年に台湾当局に「自首」したものの、すぐに保釈され、「中華統一促進会」という運動団体を設立。深圳潜伏中に中国共産党とのパイプを太くし、工作員的な仕事も請け負うようになった、という噂があった。私の推測なのだが、馬英九政権や共産党側の意向を受けて「学生の暴徒化」を演出しようとしたとしたら、その作戦は失敗し、むしろ馬英九政権の独裁を強調したことになった。

## 「台湾はずっと民主主義国家だと思っていた」

ひまわり学生運動が成功を収めたのは、やはり林飛帆ら中核メンバーの優秀さもあったと思う。彼らは1988年、台南市出身で、当時台湾大学政治研究所研究生（院生）だった。もともと熱烈な民進党支持者家庭に生まれ、林自身、民進党の総裁候補だった蔡英文氏の選挙応援のバイトをしたこともある。

陳為廷は1990年生まれで、両親を早くに亡くし、苦労しているが、成績優秀で総統教育賞受賞歴がある。2009年に清華大学（台湾）人文社会学部に入学してからは苗栗（びょうりつ）市の農地強制収用反対運動などの農民運動や社会運動に参与し、2010年には民進党苗栗青年後援会会長も務め、蔡英文氏の総裁選も応援した。

2人は2013年の25万人を集めた徴兵男子の虐待死事件抗議デモ、反メディアトラスト運動などいくつかの大きな社会運動で協力し合い、意気投合していた。2人とも民進党寄りの政治背景はあるが、当時噂になっていた蔡英文黒幕説は否定し、その噂については「学生運動を見下し、矮小化している」と不服そうだった。むしろ昔の野百合学生運動や日本の学生運動の話に影響を受けた、と話していた。

ただ、当時の林飛帆はこうも言っていた。

「小学校三年のときに民進党政権になり、台湾はずっと民主主義国家だと思っていた。そうではないと気付いたのは（馬英九政権になった）2008年。大学一年生で、野草莓（のいちご）学生運動（2

008年11月の集会デモ規制反対運動）に初めて参加し、目の前で同級生が警察に殴られた。……僕は中国に反対しているのではない。でも、サービス貿易協定は、台湾の民主制度に関わる問題であり、両岸（中台）関係の問題でもある。（台湾と中国が）国と国の関係による協定なのか、あるいは特殊な国と国による関係なのか。その両方の方策を同時にやらないといけない」

## 野草苺学生運動――義務教育の大きさ

野草苺学生運動とは、2008年11月、中国の陳雲林・海峡両岸関係協会会長の訪台に際し、馬英九政権が行なった1万7000人の警官を動員した過剰警備がきっかけで起きた、学生の集会デモ規制反対運動だ。

この過剰警備では、民衆がもっている台湾国旗を没収したり、台湾の歌を流していたレコード店に捜査令状のないまま押し入り、店を閉めさせたり、デモ参加者が容赦なく殴られたりした。また、陳水扁元総統の逮捕などもあり、自由と民主の後退を若者たちが肌で感じたのだった。こうして15日、台北市の自由広場に全国から学生たちが集まり、現行の集会デモ規制法を撤廃する要求の声を上げた。

野草苺学生運動の名前は、李登輝政権時代に起きた野百合学生運動と、米国の1960年代のコロンビア大学の学生運動を描いたノンフィクション『いちご白書』からきたものだろう。

林飛帆の言葉から、私は運動参加の学生たちが陳水扁政権8年の間に受けた義務教育の大きさに気づいた。彼らは物心ついたころから、民主や自由の価値観、そして台湾アイデンティティを当たり前のように学んできたのだった。

野草苺学生運動は、当時、中台経済の緊密化の恩恵を喜ぶ大人社会の声にかき消されるかたちで消滅したが、その経験を踏まえて、体を張るかたちのひまわり学生運動で、中国経済に台湾経済が併呑されることの危機感を訴えたのだった。

## 王金平の英断

王金平立法院長の独断ともいえる英断で、ひまわり学生運動は成功のうちに撤収した。

彼が学生を強制排除しないと決めたからこそ、学生の立法院占拠が成功し、彼は総統府や国民党内の意向を無視して、「両岸協議監督条例」が法制化されるまでサービス貿易協定の審議を行わない、と約束した。政府は学生の占拠による議場の破損などの修繕費を学生に請求するとしたが、王金平は「立法院で処理する」とし、学生たちを不法侵入・占拠などで提訴しないとした。その後、２０１４年の地方統一選挙で国民党は惨敗、さらに２０１６年の総統選で与野党が入れ替わるので、この協定は事実上、棚上げとなった。

こういう結末に落ち着いた要因の一つは、国民党内の台湾派である王金平と馬英九の対立がある。王金平は李登輝が育てた国民党内台湾派の中心人物で、独立した権力をもつ立法院長の座に長くおり、馬英九の政権運営にとって邪魔な存在だった。

## 王金平を潰したい一心で勝負に出た馬英九

２０１３年9月、政権2期目に入り、馬英九は、懸案の中国とのサービス貿易協定協議や、馬英九任期中の最大の野望・中台首脳会談の実現を妨害してくるであろう王金平を潰す作戦「九月政争」に出たが、失敗し、王金平と馬英九の対立はさらに先鋭化していた。

王金平が立法院占拠の若者の完全擁護に回ったのは、王金平自身が台湾主体派で、中国の経済的併呑に対して警戒心をもっていたこともあるが、馬英九を徹底的に邪魔してやりたい私怨もあったのではないか、といわれている。

「九月政争」に簡単に触れておくと、２０１３年9月6日、王金平が娘の結婚式のためにマレーシアに行った不在を狙い、馬英九は王金平のスキャンダルを検察総長に公表させた。

王金平のスキャンダルとは、王金平が個人的に仲のよい民進党立法委員の関わる司法案件を起訴しないように法務部長に依頼し、実際に起訴されなかったという「口利き事件」で、その口利きのやり取りの盗聴電話録音を検察は馬英九に渡していた。金銭の授受はなかったが、司法の独立を傷つけた大事件だった。これを公開すれば、馬英九が任命した法務部長も傷つくが、王金平を潰したい一心で、馬英九は勝負に出た。

馬英九は、すぐに帰国して説明責任が果たせない王金平に辞任を迫り、ついには王金平の党籍剥奪を決定した。だが王金平は、不当に重い処分だとして台北地方法院に地位保全の訴えを起こし、世論は馬英九のやり方を卑怯だとして王金平同情に動いた。こうして馬英九の九月政争は挫折したが、王金平の馬英九への恨みはくすぶっていたはずだった。

## 性急に台湾統一を迫った習近平政権のおかげ

そしてもう一つ、ひまわり学生運動が成功した要因。それは中国が2012年秋に台湾に対して宥和的であった胡錦濤政権から、個人独裁色の強い習近平政権に代わったことだった。習近平政権はスタート早々、2013年1月に『南方週末』新年号改竄事件を起こしたように、言論統制、イデオロギー統制が厳しく、憲政主義を否定する、自由主義国から見れば非常に危ない政権だった。しかも「中国の夢」をぶち上げる強烈な中華ナショナリズムを特徴としていた。

胡錦濤政権は反国家分裂法を制定したが、その後は「祖国統一」「早期統一」「武力統一」といった言葉を使わず、経済の緊密化のみを進め、台湾世論を刺激しないように気を使った。

だが習近平は、胡錦濤のような台湾世論への気遣いはなく、台湾に統一を急ぐように迫った。2013年10月6日、バリ島で開催されたAPECサミットに馬英九の代理で出席した蕭万長（しょうばんちょう）行政院長は、習近平と会談。そのとき、習近平は「（両岸の政治的不一致の問題は）最終的に一歩一歩解決しなければならない。この問題を一代一代先送りすることはできない」と発言。つまり、習近平は自分の任期中に中台統一を実現するつもりだ、と伝えたのだ。

これに馬英九も呼応した。2016年の任期終了前に、歴史的な中台首脳会談を実現させ、和平協定を結べば、これはノーベル賞ものの功績ではないか。歴史に名を残す総統となる。2014年秋には北京でAPECサミットが開催され、そこに馬英九が出席し、歴史的な和平協議がスタートとなれば、国際ニュースのトップスターだ。そういう妄想にとらわれたのか、中国ペースで中台サービス貿易協定をかくも強引な方法で締結させたのだった。

サービス貿易協定が発効したうえで、和平協議を行えば、台湾経済および出版、メディアを完全に中国が支配できているので、台湾世論をより有利に誘導できる。ならば、サービス貿易締結を手土産に和平協議を行おうというのは、事実上、総統による売国行為だった。

つまり、胡錦濤ではなく習近平が中国の支配者になったがために、中国は台湾に統一を急がせるようになり、そのおかげで馬英九の売国性が明らかになり、若者たちが体を張って、その未来に前科がつくかもしれないリスクを負ってでも行動しなければ、という気持ちになり、台湾世論も国民党内の一部政治家も学生側の味方についたのだった。

## 2015年「習近平・馬英九会談」の失敗

馬英九政権2期目は、民意に背(そむ)いた拙速な米国産牛肉禁輸解禁、9月政争の失敗と急速に満意度（支持率）を10％台に落としていたが、ひまわり学生運動による中台サービス貿易協定の挫折を経て、さらに地を這(は)う状況になった。

2014年11月、北京APECで、馬英九は習近平との歴史的な中台首脳会談を実現することでこの低迷状況を打開しようと考えたが、習近平からこれを拒否された。馬英九は習近平にはしごを外されるかたちで2014年11月の統一地方選挙を迎え、国民党は惨敗した。このとき、台北市長選は無所属の柯文哲が民進党の協力を得て当選する。無所属台北市長は中華民国史上初めてだった。この統一地方選の国民党惨敗の責任を取り、馬英九は国民党主席を辞任した。

そして、馬英九は最後の花道として2015年11月7日に、台湾総統として初めて習近平とシンガポールで会談する。国共内戦で国民党政府が台湾に逃れて以降、両政府トップが66年ぶりに会談するという歴史的ニュースであったし、台湾世論も過半数がこの会談を支持していた。

だが、国際社会的にも台湾政治的にも、おそらくは特段影響力のあるような事件ではなかったと思う。この会談は、中国とシンガポールの国交樹立25周年に合わせて習近平がシンガポールに訪れた「ついで」に行われたもので、習近平の都合による首脳会談を馬英九が受け入れたかたちになった。双方を総統・主席の肩書ではなく「先生（ミスター）」の尊称で呼び合い、食事などの経費も割り勘だった。

2014年の北京APECに参加したときに、国民党主席の地位も保ちながら台湾総統として習近平と会見を行うならば、馬英九にとってはノーベル平和賞ものの快挙であり、歴史的事件の主役となれたかもしれないが、残り任期半年ほどで、しかもすでにその政権運営手腕にケチがつけられまくり、国民党主席で総統候補の朱立倫（しゅりつりん）が翌年1月の総統選で巻き返して勝利する目もない状況でのこの会談は、馬英九が最後にスポットライトを浴びたかっただけ、という程度の野心を満たすぐらいの狙いしか考えられない。

## ◆中国の意向を認めてしまった

だが習近平にとっては、結果的に大きな成果を得た。会談で「92年コンセンサス」の「一つの中国」原則を再確認するとき、馬英九はあえて「一つの中国」の解釈についてそれぞれが表明する「一中各表」という部分に触れなかったのだ。

繰り返しになるが、92年コンセンサスは、共産党・国民党双方の中台窓口で1992年に非公式に口頭で確認された「一つの中国」原則で、それぞれが「一つの中国」の解釈を述べることができるという認識を共有しているということで、これを中国語で「一中各表」と表現している。だが、中国は「一中各表」の各表の部分を認めておらず、台湾が中国の領土の不可分の一部であると定義している。

馬英九が習近平を前にして、この「各表」の部分に言及しなかったということは、一中の指す「中国」が中華民国のことであるという国民党側の主張をあえてせず、中国の意向に沿った92年コンセンサスを認めてしまったということになる。これはありていにいえば、売国行為ともいえる。総統として歴史的舞台に立つという個人の名誉欲のために、中華民国の主権性を主張できなかった馬英九は、やはり台湾を中国に売り渡そうとして中台サービス貿易を拙速に締結したのだろう、と台湾人は思ったことだろう。

馬英九が92年コンセンサスの「各表」の部分を習近平の前で口にできなかった事実は、馬英九政権下の唯一の成果ともいえる「92年コンセンサス」を基礎とした三通はじめ中台経済緊密化ですら、売国のプロセスと疑われるようになった。

## 大陸が中華民国に属するという考えはもはやファンタジー

馬英九は総統退任後、中国か香港に移住するのではないか、と噂された。もし民進党が国民党のように政争の得意な政党であれば、馬英九を何らかの汚職などで逮捕したりする可能性もあり、おそらく馬英九もそれを恐れたであろう。だが、民進党にそうした権謀術数の知恵はなく、馬英九は今も国民党と北京のパイプ役として在籍する。

ただ、2023年4月の蔡英文の「米国トランジット外交」（中米友好国訪問のトランジット地ロサンゼルスでマッカーシー下院議長らと会談した）に対抗するかたちで、中国湖南省の祖先の墓参りに行ったときの中国側の冷遇度合いや、国際メディアの取り上げ方の小ささを見れば、2024年1月の総統選で、なにがしかの役割を担うほどの影響力もないようだ。

彼は「墓参り訪中」のとき、湖南大学での講演で、自らを中華民国元総統と名乗り、中華民国憲法に触れて、台湾地区も大陸地区もともに中華民国であるという「一中各表」を実践してみせたが、中国メディアはこれを黙殺し、台湾政治や社会にも何ら影響を与えるようなものではなかった。大陸が中華民国に属するという考えは、もはやファンタジー以外の何物でもなかった。

## 蔡英文政権の誕生

2016年1月16日、台湾総統選挙および立法委員選挙が行われた。私は民進党陣営のメディアスタンドで開票を見守った。勝利は早くから確信されていて、会場は政権交代決定の瞬間を分かち合おうとする支持者で熱気が充満していた。

海外メディアも大方が皆、民進党陣営に集まっていた。8年ぶりの政権交代、しかも初の女性総統の誕生の瞬間に立ち会おう、ということだ。そして、蔡英文政権の誕生が台湾の有り様を根本的に変える予感も、皆がもっていたに違いない。台湾取材、中華圏取材で顔なじみの記者たちと幾人もすれ違った。

総統選の結果は、民進党総統候補の蔡英文と副総統候補の陳建仁(ちんけんじん)が689万4744票を得て、国民党総統・副総統候補の朱立倫・王玄如の381万3365票をダブルスコアで制する圧勝だった。300万票という台湾史上最大票差だ。

大勝の背景は、いわずもがな馬英九国民党政権の失政、ひまわり学運で再燃した「台湾アイデンティティ」の盛り上がり、朱立倫国民党候補のやる気のなさ、米国が馬英九・国民党政権に失望し、2015年6月に訪米した蔡英文の現状維持路線を支持したこと、そして中国側が本格的な妨害工作をしなかったことなどがある。

## TWICEが決定的な追い風に

さらにいえば、投票日に問題になった韓国アイドルグループTWICEの台湾出身メンバー、ツウィこと周子瑜(チョウズーユイ)の公開謝罪ビデオ事件が、決定的な追い風となった。ツウィは韓国の番組で中華民国の旗(晴天白日満地紅旗)を手に持っていたことが、中国ファンから大バッシングを受け、中国芸能界から徹底排除され、結局、公開謝罪ビデオを発表したのだった。それが台湾総統選前日だったため、台湾有権者の「台湾アイデンティティ」にいっそうの火をつけ、92年コンセンサス(一中原則)を否定する民進党側への追い風となった。

立法院（国会）選挙については、民進党単独過半数は難しいのではないか、という下馬評だったが、蓋を開けてみると、民進党は113議席中68議席、国民党35議席と、あわやこちらもダブルスコアになりそうな勢いで緑（民進党カラー）が圧勝。しかも、ひまわり学生運動の参加者らが結成した新党「時代力量」が5議席を獲得し、親中派政党で宋楚瑜総統候補率いる「親民党」の3議席を抑えて、第3党に躍り出た。

「時代力量」は日本でも人気のあるヘビーメタルミュージシャン、フレディ・リムが創設に関わったことでも知られる。彼らは、台湾は一度も中国の属国になった覚えはない、という主張で、党主席の黄國昌（こうこくしょう）、フレディら5人も台湾立法院（国会）に送り込まれたということは「ひまわり学生運動」のもう一つの成果だった。

## 「私たちは台湾人であり、中国人とは違う」という団結

私は2012年の総統選で、雨降りしきる中での蔡英文の涙の敗北演説を思い出しながら、蔡英文が「みんなの流した涙を笑顔に変えるために全力を尽くすと言い続けてきました。みんな！　私たちはやりとげました。もしまだ涙が残っているなら、どうか拭ってください、喜んで台湾の新しい時代の始まりを迎えようではありませんか」と勝利宣言する笑顔に、記者の立

場を超えて共感していた。

台湾史上3度目の政権交代。1回なら「まぐれ」ということもあるが、選挙によって3度も政権交代があったということは、この国で民主主義が定着したということだ。

しかも中華的儒教文化が根強いと思われていた台湾で、女性総統が、あの手ごわい習近平独裁政権と対峙していくというのだから、これは国際的にも大事件だった。

蔡英文のこのときの勝利演説はかなり謙虚で、立法委員単独過半数を取ったことにも慢心せず、国民党の協力を仰ぎながら、新しい台湾の時代を切り開く、と約束した。

そして勝利演説で最も印象的だった言葉は「私が総統になった日には、誰一人として自分のアイデンティティを理由に謝罪をする必要がないようにします」と、ツウィ事件を示唆する発言だった。そして「台湾を団結した国家にする責任がある！」と宣言した。

彼女が目指し、台湾有権者が望むのは、政党間や派閥による内政のいざこざではなく、国家としての団結であり、台湾を「私たちは台湾人であり、中国人とは違う」と堂々といえる国にする、ということだと感じた。

## ◇惜敗経験が蔡英文を鍛え上げた

蔡英文について、改めてそのプロフィールを振り返ると、１９５６年８月、台湾屏東(へいとう)県の客家の名家の血筋に生まれた。出生地は台北市中山区。祖母はパイワン族の末裔(まつえい)という。彼女の生まれたころは、まだ台湾の大金持ちは一夫多妻（側室）の風習が残り、兄弟姉妹は11人。うち兄の一人は日本国籍を取得し、日本在住。末っ子の蔡英文は、お嬢様として大事に育てられ、台湾大学法律学部生時代はマイカーで通学していた２人の学生のうちの一人だったという。

１９８０年に米国コーネル大学ロースクールで学位を取り、続いて英国ロンドン政治経済学院に留学し、「不平等貿易の実践とセーフガード」をテーマに研究。１９８４年に博士学位を取り、米国の弁護士資格と中華民国の弁護士資格を取った。

大学教授時代を経て、李登輝政権時代、請われて行政院経済部国際経済組織の首席法律顧問となったのが政界に足を踏み入れるきっかけ。ＧＡＴＴとＷＴＯの台湾加入交渉に関わったほか、李登輝とともに台湾と中国が特殊な国と国の関係であるとする「二国論」の起草にも関わる。

陳水扁政権1期目の2000年から2004年は行政院大陸委員会主任委員となり、このときの世論調査では最も満足度の高い閣僚として評価された。このとき「小三通」と呼ばれる、中国台湾間の春節時期の直行便を含む中台直接交流が大きく進んだ。陳水扁政権2期目の2004年から民進党に入党し、立法委員（国会議員）に比例6位で当選。2006年から行政院副院長（副首相）となり、このときの仕事ぶりも世論調査で高い評価を得た。

2008年の総統選で代理党主席の謝長廷候補が惨敗すると、世論の評価の高い蔡英文が台湾初の女性党主席となった。党員歴の短い若き女性党主席は、台湾特有の儒教的女性蔑視、年少者蔑視もあって、長らく党内分裂状態に悩まされた。

それでも2012年の総統選では初の女性総統候補として出馬。80万票差で現職・馬英九総統に惜敗する。このときの敗因は、中国と米国の国民党に対する間接的支援が大きかった。事前の世論調査での支持率はずっと民進党がリードしていただけに、国民党の底力を見せつけた格好だった。蔡英文は敗戦の責任をとって、党主席を辞任した。この敗北後、蔡英文は空中分解しかけていた党内団結に腐心する日々であったという。

2012年の総統選のときは、頭脳明晰（めいせき）だが、学者肌、官僚肌で政治の駆け引き、とくに党内政治が苦手であったという印象を私はもっていた。行政の実務は強いが、いわゆる政治家に必要な清濁併せ呑む駆け引きには不向きで、いわゆる人たらし的なオーラにも欠けていた。米国が今一つ蔡英文を歓迎しているふうではないのは、こうした点が原因ではないかといわれていた。

だが2012年の惜敗経験は、蔡英文を鍛え上げた。対米関係を研究し、党内の年長者に気を使いながら味方につけるテクニックを身に付け、演説も格段にうまくなっていた。

蔡英文の強みは若者人気だった。リベラルで清潔感があり、愛猫家を公言していることもあり、若い支持者から猫耳をつけた萌えキャラ風のイラストで表現されても、嫌がらず、むしろそうした若者文化を積極的に利用して、若い世代に浸透していった。彼らは比較的潔癖であり、国民党的な地方で票を買うような行為をしていることに、嫌悪を抱き、「子豚貯金箱」の少額献金を募って、選挙資金に充てる蔡英文の倹約選挙に好感をもっていた。

こうして誕生した国民党の老獪な政治家とも、民進党の運動家気質の政治家とも違う、まったく新しいタイプの総統による政権運営が8年続くことになるのだった。

## 台湾ナショナリズムと台湾アイデンティティの違い

今、台湾に行って住民に「あなたは何人?」と聞けば、間違いなく「私は台湾人」と答えるだろう。日本に暮らす台湾籍の人に聞いても、米国に暮らす台湾籍の人に聞いても、「アイム・タイワニーズ」と躊躇なく答える。だが60年代は、「アイム・チャイニーズ」と答える人が普通にいた。

だが、この「アイム・タイワニーズ」の意味する中には、台湾ナショナリズムと台湾アイデンティティの区別があるという。

台湾政治分析に定評のある小笠原欣幸・東京外国語大学名誉教授に以前、インタビューしたとき、台湾ナショナリズムと台湾アイデンティティは違う、と強調していた。中華ナショナリズム、台湾ナショナリズム、台湾アイデンティティと台湾人の意識を3つに分けるとしたら、今の台湾有権者の圧倒的多数、おそらく85%以上は台湾アイデンティティに属すると、小笠原教授は話していた。

中華ナショナリズムとは、蔣介石時代の中華民国を中国の正統国家とし、いずれは大陸の共産党支配地域を取り戻すかたちで統一を夢見るイデオロギー。これに対し、この中華民国を転覆、あるは解体し台湾共和国という独立国家を樹立するという60年代に活動していた台湾青年らのような考えが台湾ナショナリズム。その2つの中間にあり、現状維持を模索するのが「台湾アイデンティティ」ということになるが、台湾アイデンティティにも中華ナショナリズム寄りのものから台湾ナショナリズム寄りのものまで濃淡がある。

## ◆日本統治時代の近代化には肯定的

台湾アイデンティティを最初に形づくったのは李登輝で、中華民国という外来政権の台湾化、民主化によって、現住の台湾人と外来政権とともに来た外省人を含めた「台湾人」という概念が登場した。さらに二国論、特殊な国と国の関係から、「台湾人で中華民国国民だが、中華人民共和国国民ではない」というかたちで始まった。

この中華民国は英語でいえばリパブリック・オブ・チャイナであり、1990年代はタイワニーズであり、中華民国人としてのチャイニーズである、という認識が多かった。

21世紀に入り、陳水扁民進党政権下では正名運動が盛り上がり、「China」という言葉を「Taiwan」に置き換えはじめた。パスポートも中華民国パスポートにTAIWAN表記を入れたし、世界各国に中国人（中華人民共和国国民）と台湾人を区別するように求めた。さらに義務教育で台湾人としての誇りを育成するような教科書に変えた。

陳水扁政権時代の歴史教科書では、台湾の日本統治時代については、日本が台湾の近代化に取り組んだ事業については肯定的な評価が行われている。ちなみに戒厳令下の国民党独裁政権時代の歴史教科書では中華民国の歴史によって万里の長城や長江については教えられても、17世紀初頭にスペインが建てた紅毛城(こうもうじょう)の成り立ちは教えられなかった。日本統治時代の歴史が義務教育で教えられるようになったのは李登輝政権誕生以降だ。陳水扁政権8年の間に、チャイニーズでなくタイワニーズという意識は大きく広まった。

陳水扁はおそらく、将来的に憲法改正や国名を台湾にすることまで意識していたかもしれない。とすると、陳水扁はいちおう現状維持を掲げてはいるが、その正名運動は台湾ナショナリズム寄りの台湾アイデンティティといえる。

ちなみに、馬英九政権になって、消えた「中華」やCHINAの名称が復活し、歴史教科書も再び改変され、日本統治時代については「日本植民統治」と表記されるようになり、台湾人による抗日運動についてもページが割かれるようになった。政権によって教科書が大きく変わることを考えれば、ひまわり運動世代の若者は、陳水扁政権時代の「台湾ナショナリズムより台湾アイデンティティ」教育で育(はぐく)まれたということはいえるだろう。

## 「統一拒否コンセンサス」の明確化へ

習近平は「両岸一家親」という表現で、中台が同じ中華ファミリーであるから統一すべきだというロジックで馬英九政権に迫り、平和統一モデルとして香港で実践されている一国二制度を提示した。馬英九は現状維持を掲げつつも、２０１３年の双十節（中華民国の開国記念日）に「両岸は国際関係ではない特別な関係」という表現で、二国論や一辺一国論とは異なる立場に立った。馬英九は台北市長選挙から自身も新台湾人であるとアピールしてきたので「台湾アイデンティティ」に属すると思われてきたが、かなり中華ナショナリズム寄りの台湾アイデンティティであり、それは習近平政権が誕生した２０１３年以降、よりはっきりとしてきた。

　これに危機感をもったのがひまわり学生運動で、さらにひまわり学生運動に刺激を受けた香港の若者による２０１４年９月に雨傘運動が、習近平政権の独裁制と一国二制度の脆弱さを見せつけることになった。雨傘運動は、香港基本法に基づき２０１７年にも行政長官選挙に普通選挙を導入する、という約束を中国の全人代が否定し、破ったことがきっかけだった。雨傘運動は結局、普通選挙実現の要求を達成できず敗北するが、この結果、台湾人の嫌中感情は高まり、中国融和を進めようとする馬英九政権への不信感も高まった。

　ちなみに、２０１４年の台北市長選で民進党支持者の票を吸収して当選した柯文哲は２０１５年の訪中時に、習近平の提示する「両岸一家親」を支持し、一つの中国を否定しないという立場を表明し、民進党支持者や嫌中派の若者たちを大いに失望させた。

民主的な直接選挙が導入されて四半世紀の間に3度、政権交代が行われたのは、こうした台湾アイデンティティをもつ8割以上の有権者が、現状維持のバランスを最もうまくとれる候補を選択した結果であった。

だが蔡英文政権は、当初の慎重さとは裏腹に、2020年の総統選に大勝利したのちは、これまで中国寄りにも揺れ動いていた「台湾アイデンティティ」を「統一拒否コンセンサス」として明確にしていくのだった。

# 第3章　蔡英文政権の変貌

## 蔡英文政権1期目への厳しい評価

私が以前に勤めていた産経新聞社は、日本のメディアとして最初に台北に支局を設置した新聞社であり、また初めて北京と台北の両方に特派員記者を常駐させることを可能にした新聞社だった。

文化大革命のときに、世界中の新聞社が文革は素晴らしい革命であると絶賛していた中で、『産経新聞』が文革の本質は権力闘争であると報じたために、特派員・柴田穂（みのる）は強制退去処分となり、以降、産経新聞記者は中国入国禁止となった。代わりに台湾・台北に支局を置くことができた。中国は北京に支局を置いている新聞・通信社に対し、同時に台湾に支局を置くことは許さなかったので、産経は長らく台北に存在する唯一の日本新聞社だった。

なので、産経新聞の台北支局は台湾当局との関係がそれだけ深く、その信任も特別厚い、と自任していた。産経新聞は長らく北京に厳しい分、比較的台湾には好意的な報道をするのが伝統的だった。そして産経新聞において台北支局長の待遇は、他社の特派員とは違って一種の「長老」扱いで、台湾当局も、特別インタビューや代表取材で日本メディアの中から誰かを選ぶなら産経新聞、ということが多かった。

だが、そんな産経新聞が、なぜか蔡英文政権に対しては、誕生した当初から比較的、辛辣だった。蔡英文には決断力がない、ことなかれ主義、妥協と玉虫色(たまむしいろ)の政策、失敗を恐れすぎて何もできない、総統としてのリーダーシップ欠如……。当時の台北支局長は私の政治部時代の同僚の田中靖人支局長だったが、蔡英文政権1期目の手腕についての論評を直接聞いたとき、かなり厳しい評価だった。ほかにも、当時の蔡英文について失望した、期待が外れた、という民進党内や古株の民進党支持者の声を聞くことがあった。

## 中国経済依存からの脱却を主張

2016年5月の蔡英文就任式演説は、私も現場で聞いたのだが、たしかに「妥協的演説」「玉虫色演説」ともいうべきものだった。中国を刺激しないように、その怒りを買わないように、気を付けて練られた原稿だったと思う。

だが、中国との関係については「従来の単一市場に依存しすぎた現象と決別する」と中国経済依存からの脱却を主張し、「新南向政策」を打ち出し、(中国の潜在的ライバルである)インドや東南アジアとの連携を強化するとした。そのために、東シナ海と南シナ海の領有権問題を棚上げし、共同開発を主張する、とした。これは日本との間にある尖閣(せんかく)諸島問題については、その領有権を争わないといっているに等しく、それよりも日本や東南アジア、米国を味方にして中国の統一圧力に抗(あらが)っていくことを優先させるということだろう。

## 改革への強い意志は秘めている

また演説中、「92年コンセンサス」(九二共識)、「一中原則」(一つの中国原則)という言葉は一度も使わなかった。

ただ、92年に両岸両会(海協会・海基会、中台の交渉窓口)が話し合い、「求同存異」(異なる点はあるまま同じ方向を目指す)の共通の認知は歴史的事実として尊重するという立場で、この共通の認知を政治的基礎として両岸の対話を継続することを約束した。

この政治的基礎の要素を4点に絞り、

①1992年の両岸両会会談および求同存異の共通の認知は歴史的事実である。
②中華民国の現行憲政体制。
③両岸の過去20数年にわたる話し合いの成果。
④台湾の民主主義の原則と普遍的な民意。

と説明した。

中華民国の現行憲政体制は「一つの中国（中華民国）」を原則としているので、「一つの中国」を政治的基礎にするといっているに等しく、これを「二国論」「一辺一国」の放棄ととらえる李登輝支持者、陳水扁支持者たちは不満に思い、中国への妥協だと思ったことだろう。

字数にして6000字、30分以上の演説の中に「中華民国」という言葉は最低限の5回しか使っておらず、一方、「台湾」という言葉は41回も出した。

そして演説の締めくくりに、就任式のパフォーマンスで歌われた台湾語の歌「島嶼天光」（この島の夜明け）のワンフレーズ「今がその日だ、勇敢な台湾人よ」という言葉を掲げて「国民同胞、2300万人の台湾人民よ、待つのは終わった。今がその日だ。今日、明日、将来の一日一日、我々は民主を守り、自由を守り、この国を守る台湾人になろう」と呼びかけた意味を含めると、今の段階は「一中憲法」を容認しつつ中国を刺激しないように問題の棚上げを図るも、将来に向けての改革への強い意志は秘めている、というメッセージに聞こえる。

ちなみに、ノンポリの台湾人はおおむね好意的にこの演説を聞いていた。今はなき台湾『蘋果日報』紙の世論調査では、聴衆の76％がこの演説に満足だといい、92年の会談に触れつつ92年コンセンサスに言及しなかったことについては、63・75％の聴衆が肯定的だったという。

## 欧米の記者を重視する傾向

また、この就任式は台湾史上最高の外国来賓出席数で、台湾と国交を結んでいる22カ国を含む59カ国から約700人が出席した。

日本は交流協会理事長の今井正、衆議院議員の古屋圭司が率いる日華議員懇談会の12議員を含む252人の大型祝賀団を就任式に参加させ、当時の安倍政権の蔡英文政権に対する好意を表していた。

一方、中国国務院台湾事務弁公室は即座に「両岸同胞が最も関心を寄せている両岸関係についての根本問題で曖昧な態度を取り、92年コンセンサスを明確に承認せず、その核心の意義を認めず、両岸関係の平和安定発展に対する具体的方法に言及しなかった。これでは答えになっていない」と強く非難した。中国からすれば「一中原則を共同の政治基礎とするのか、それとも両国論、一辺一国的な台湾独立分裂の主張を維持するのか、もっとはっきりせよ」と言いたいのだ。

中国の反応と国際社会の反応を見れば、この就任式演説はおおむね合格点だった。だが、こうしたどっちつかずの玉虫色の蔡英文スタイルに不信感を募らせる者もいた。どちらかというと、従来は熱心な民進党支持派の人のほうが不満が多かったように思う。

蔡英文はもともと、強いナショナリズムとは距離を置こうとしていたフシがある。たとえば、蔡英文が最初の単独インタビュー取材を受けた日本メディアは『読売新聞』（２０１６年10月６日）だった。

従来、こういうときに優先的にチャンスを得られるのは『産経新聞』だった。なぜなら前述のように産経新聞が最初に台北支局を開設し、他社が北京のほうだけを向いていた時代から、台北を中華取材の前線に置いていたという歴史があるからだ。しかも報道スタンスも反中色を自任し、親台湾的だった。

だが、蔡英文が選んだのは『産経新聞』ではなく最大発行部数の『読売新聞』。しかも、その理由について「『産経新聞』に近づきすぎると、そういう色（反中的）がつくことを蔡英文が嫌がったのだ」という噂が、他紙記者の間でささやかれていた。

さらにいえば、日本の記者よりも欧米の記者を重視する傾向にあったともいわれている。台湾はもともと日本と歴史的に複雑かつ深い関係があり、日本の記者に対しても、その他の国のメディアと区別した優遇があった。たとえば記者会見でも日本の記者向けブリーフィングが先にあり、そのあと他国向けの会見が設けられたりする。それが蔡英文政権になって逆転し、むしろ英米向け情報発信に力を入れ、日本メディアが軽んじられるようになったという。「宗主国待遇がなくなった」という声もあった。

蔡英文がきわめてリベラルで古い特権や思惑など気に留めず、実務的なスタイルを貫いているのだ、という言い方もできる。

だが、ひまわり学生運動という一種の反中運動が起こした風によって総統となった蔡英文ならきっと、中国に対しても厳しい姿勢で臨むだろう、ナショナリズム寄りの台湾アイデンティティを支持してくれるだろう、という期待をあえて裏切ろうとしたのなら、それは時間がたつにつれて味方離れを生む。選挙のとき蔡英文を熱烈に応援していた人ほど、失望するのが早かった。

## 台湾のトップを「プレジデント」と呼んだトランプ

蔡英文政権の支持率（満意度）は政権発足時がピークで、すぐに30％台に低迷していった。公約に挙げた国民党系の軍人や公務員が優遇されすぎている年金制度を是正する年金改革などが、国民党支持者の抵抗に遭うのは想定内だったろうが、民進党内の不協和音も強かった。経済政策、福祉政策で結果を出すのには時間がかかる。ならば、せめて対中的には毅然（きぜん）とした姿勢を見せて、民主化運動、独立運動の中から誕生した民進党政権の「国家観」を見せてほしい。せっかく総統選挙、立法院選挙で圧勝を決めた蔡英文ならそれができるはずなのに、やらないのはどういうわけだ、という不満が党内にもあった。

そういう不満が起きるきっかけの出来事は、２０１６年11月の米国大統領選を勝利し、大統領就任予定者となったドナルド・トランプが同年12月２日、蔡英文の求めに応じて、電話会談したときのことだ。米大統領（予定者）が、正式に国交のない台湾の総統に直接接触することは、中国への配慮を優先してきた米国にしてみれば異例中の異例で、１９７９年以来初めて。『ニューヨーク・タイムズ』によれば、双方は「米国と台湾の経済、政治、安全保障面での緊密な結びつき」を確認したという。

トランプ・蔡英文の電話会談は10分以上に及び、双方が互いに、大統領・総統選挙への勝利に対する祝辞を述べ、アジア地域情勢について意見交換をしたという。

そしてトランプは同じ日、ツイッターで「プレジデント・オブ・タイワンから電話をもらって、大統領当選おめでとう、といってもらった。サンキュウ！」とコメントしたのだ。台湾のトップをプレジデントと米国大統領予定者が呼んだ、それは米国が台湾を主権国家と認めたというサインだと受け止められた。

中国は狼狽（ろうばい）し、およそ丸一日、この件についての報道を差し止め、翌日になってようやく、当時の王毅外相が「（米台指導者直接電話会談など）小細工であり、国際社会が既に形成した中国の地位を変えることはできない」「米国も長年堅持していた『一つの中国政策』を変えることはなかろう。『一つの中国政策』は中米関係の健康的な発展の基礎であり、これを少しでも破壊したり損なうことを我々は望んでいない」とかなり感情を抑えたコメントを出した。

このとき、不自然なほどに中国が感情を抑制したのは「トランプは外交に無知なだけ。台湾と中国の問題をわかっていない」「相手が女性だから鼻の下を伸ばしたのだ」「まだ大統領就任前なのだから目くじらを立てるほどのことはない」とあえて軽く流して見せようとしたのだろう。

## 現状の米中関係への不満

だが私自身は、トランプは大統領就任前の比較的フリーな状態で、わざと中国を挑発して台湾や中国の反応を探ったのではないか、と見ている。もちろん、台湾ロビーストたちの周到な根回しもあっただろうが、トランプの選挙を支えたブレーンたちは比較的親台湾、ドラゴンスレイヤーズと呼ばれる反中派の官僚や学者が多く、トランプが台湾政策について思い切った方向転換を行う可能性は噂されていた。

その噂を裏付けるように同年12月11日、トランプはフォックス・ニュースのインタビューに応えて「中国の貿易・外交政策次第では」という条件付きではあるが、「米国が〝一つの中国〟に縛られるのはおかしい」と発言したのだった。オバマ政権時代の対中弱腰が、南シナ海における中国の人工島建設など、中国の勢力拡張政策を許したことから、米国政界は反中色が強まり、それに伴い親台色が濃くなっていった。

1979年1月の米中国交樹立以降、歴代の米政権が遵守してきた「一つの中国」政策にはそれなりの重みがある。米国はカーター政権時に、同盟関係にあった台湾（中華民国）と国交ならびに相互防衛条約を断ち、中華人民共和国を唯一正当な中国政府として認め、その代わりに中国は台湾に対する「武力解放（武力統一）」を「平和統一」に改めた。

米国は同時に、中台の交渉による平和的統一への期待を表しつつ、台湾への防衛用兵器の供与などを盛り込んだ「台湾関係法」を米国内で成立させ、台湾の安全保障に引き続き関与する姿勢を取った。

中国と米国の外交関係の基礎となる3つ目の文書（1982年8月17日の第二次上海コミュニケ）に関しては、「六つの保証」というかたちで蔣介石に断交後も米国は台湾の国家安全を支え続けることを確認している。

①台湾への武器販売の終了日を設定することに合意しない。
②台湾と中国の間で、米国は仲介する役割はないとの認識がある。
③また、台湾に圧力をかけて中国との交渉をさせようともしない。
④台湾の主権問題に関する我々の長年の立場に変化はない。
⑤台湾関係法の改正を「求める予定はない」。
⑥8・17コミュニケは、「我々が台湾への武器販売について、北京と事前協議を行うことに合意したと意味するように読まれるべきではない」。

ただ、当時としては、台湾関係法は台湾の「独立」を助長するものではなく、あくまで台湾海峡両岸の現状維持を目指すものであった。

米国と中国はそうやって台湾の現状を維持するために、ぎりぎりの妥協を積み重ねてきたのだった。だがトランプは、中国の出方次第で、「一中政策」を放棄する可能性を示唆したといえる。

トランプの周辺にいる政策アドバイザーには、台湾が置かれている状況への不安と同時に、現状の米中関係への不満があった。

米国が不必要な譲歩を重ねてきた結果が、中国の現状変更を伴う拡張主義的行動を許し、民主主義体制下にある台湾が中国の経済的・軍事的圧力に晒されている事態を生んだと見ていた。そして中国がそこまで傲慢で危険になった理由は、米国の長年の対中関与政策によって大国化、軍事強国化を助長してきたからだと考えており、対中政策を抜本的に見直す必要性をおそらくトランプに訴えていたのだと思われる。

## 誘い水に乗れなかった蔡英文

だが、このトランプの電話に対しても、「『一つの中国』に縛られない」発言についても、蔡英文側の反応は抑制され、あるいは軽く無視したようにもとれた。このトランプの姿勢に呼応して、二国論や一辺一国論を掲げるようなこともしなかった。私の知る古株の民進党支持者たちは、この蔡英文の態度が不満で、中国に忖度している、と言い放っていた。「蔡英文は女馬英九だ」という人もいた。この場合の「馬英九」は売国奴と同等の意味をもつから、かなりひどい言いぐさだ。

結局、トランプは大統領就任後の2017年2月9日、習近平との電話会談で「一中政策」の不変を確認する。蔡英文政権はむしろほっとしたように10日、良好な米中関係は有益だとコメントした。

## 2018年、民進党の惨敗――顕著な中国「ネット水軍」の動き

そんな蔡英文政権の低迷は、2018年11月の統一地方選挙（九合一選挙）で誰の目にも明らかになる。2018年11月24日、4年に1度の統一地方選挙が行われた。折よく連休も重なったので、私も現地に行って取材してきた。

台湾の統一地方選とは、6大都市（台北、桃園、新北、台中、台南、高雄）の市長選を含む台湾22市県の長および市議県議を選ぶ直接選挙がメインである。ちょうど総統選任期の半ばにあるので、与党政権の〝中間考査〟ともいわれ、2年後の総統選および立法院（国会に相当）選挙の行方を占うものとしても注目される。

結果は与党・民進党の惨敗で、6大都市のうち新北、台中、高雄を国民党が取り、民進党が取ったのは台南、桃園だけ。台北は無所属で現職の柯文哲が国民党の丁守中をわずか3200票余りという僅差で辛勝した。6大都市を含めた全22県・市でいうと、無所属（台北）1を除

いて国民党が15、民進党が6。台湾地図をシンボルカラーで色分けすると、大半が国民党の青に染まる。２０１４年は民進党が22県市のうち13を取っていた。ちなみに投票率は6大都市長選で66・11%、２０１４年の民進党圧勝時の66・31%をわずかに下回った。

総統の蔡英文は責任を取って党主席職を辞任した。私の周囲の台湾人は民進党寄りの人が多く、このとき悔恨と諦観と悔しさの入り混じる様々な声を聞いた。彼らによれば、その最大敗因は蔡英文政権に対する台湾有権者の失望であった、という。

だが、それだけではない。この選挙の特徴は、中国のインターネットを使った世論誘導が非常に成功した例として、のちのち台湾当局からも研究対象にされるようなものだった。とくに、民進党の牙城とされていた高雄市の市長選挙でほとんど無名の国民党候補・韓国瑜（かんこくゆ）が「韓国瑜ブーム」を作り出し、圧勝した背後に、中国の「ネット水軍」の動きが顕著だった。

もう一度２０１４年以降の流れを振り返ると、２０１４年の統一地方選では民進党が圧勝し、6大都市のうち4都市で民進党候補が当選したが、このとき、台北市長選で柯文哲は民進党の全面的な後押しを受けての立候補だったので、実質6都市のうち新北市を除く5都市は緑（民進党のシンボルカラー）に染まった。この2年後の総統選で国民党は政権与党の座を民進党に譲り渡した。２０１４年の国民党の歴史的惨敗は「ひまわり学生運動」をきっかけに国民党の中国依存政治への嫌悪が盛り上がったせいだった。

その4年後の2018年、民進党が惨敗した理由は、まず蔡英文政権の中国に対する妥協的な姿勢に、ひまわり学生運動で盛り上がった反中派の支持者や、党内に失望感が広がったこと。そして、蔡英文政権が目玉政策として打ち出した労働基本法改正は中小小売企業の経営を苦しめ、労働者側からは法定休日が減らされたと反対デモが起き、2018年2月に再改正されるなど内政も大いに揺らぎ、社会不満が高まっていたこと。こうした状況で、民進党内の不協和音が広がり、選挙戦略、候補者選びにもミスが続出した。たとえば台北市長選で現職・柯文哲候補に民進党の対抗馬として、今一つ不人気な姚文智候補を立てたことは失策だったといわれている。

## ノンポリ中間層に嫌われる

柯文哲は2014年は民進党の援護射撃を受けて台北市長に当選したが、当選後、習近平の「両岸一家親」（中台はファミリー）のスローガンを支持し、私は毛沢東のファンだといって中国に阿(おもね)ってみせ、イデオロギー的には民進党を裏切った格好になった。だが、4年の市長としての手腕は市民にはおおむね好評でありノンポリ中間層の支持を固めていた。2018年の台

2014年、台北市長に当選した柯文哲

北市長選挙で民進党が独自候補を立てることは国民党候補に利することはあっても、民進党に勝ち目はまったくない。むしろノンポリ中間層に敵対する行為でもあった。台北市で柯文哲を敵に回すことで、民進党は他の選挙でもノンポリ中間層に嫌われることになった。

## 普通ならありえない韓国瑜の大勝

そういう状況で、高雄市長選に登場した国民党の落下傘候補の韓国瑜は、国民党の中では異色のキャラだった。民進党の牙城であった高雄市長選挙に、9万票という大差で当選した。

高雄は、美麗島事件でも知られる台湾民主

化運動の発祥の地。過去20年の間、民進党が市政を取ってきた。2014年の高雄市長選は、民進党の陳菊が得票数99万3000票で圧勝したのだ。それが、2018年は韓国瑜が89万2545票（得票率53・87％）と民進党の陳其邁を得票率で9・07％も上回る大差で勝利した。陳其邁は、2018年4月に陳菊が総統府秘書長に抜擢されたのち、市長代行も務めていたというのに。

そもそも韓国瑜は、本来の高雄市民が最も嫌いそうな人物だった。1957年、台北県中和市（現新北市）生まれの外省人（祖籍河南）で、父親は黄埔（こうほ）軍官学校第17期装甲兵科卒で中国遠征軍のメンバーとしてインドで旧日本軍とも戦った軍人。韓国瑜自身は頭脳は優秀だったらしいが、思春期には授業をさぼって喧嘩（けんか）やビリヤードに明け暮れる不良少年。18歳になったとき、父母が手に負えず陸軍軍官学校に押し込んだという。

退役前年に、東呉大学英文科に合格、卒業後さらに国立政治大学東アジア研究所に入学し、法学修士の学位も取った。このときの指導教官が92年コンセンサスを起草した蘇起（元大陸委員会主任委員）で、論文のタイトルは「中共の立場から見た対台湾統一戦策略としての〝両岸交渉〟」という。

1990年、台北県議助理から県議になり、93年に立法院選挙に出馬、3期立法委員を務め

2018年11月、統一地方選挙・高雄市長選挙での韓国瑜陣営の活動

た。粗暴な性格らしく、93年5月、韓国瑜は当時立法委員だった陳水扁（民進党、元総統）を口論の末殴り倒し、病院送りにした事件を起こす。陳水扁の「栄民（国民党軍退役者）の生活予算は、豚を養うのと同じではない」という発言に、軍人出身の韓国瑜がカッとなったのが原因だったらしい。2012年から台北農産運鎖公司（台北青果市場）の社長を務めたのち、2017年再び政界に返り咲こうと国民党主席選挙に出馬するも落選していた。国民党内でも彼を嫌う人は多く、どうせ負けると思って高雄市長選に出馬させたのかもしれない。

白色テロの犠牲者がとくに多かった高雄において、国民党軍人出身で、美麗島事件の被告弁護団弁護士の一人である陳水扁を殴った韓国瑜が、高雄市長になるなど、普通ならありえない話だからだ。

## 〝ネット世論工作〟が威力を発揮しやすかった

そのありえない事態がなぜ起こったのか。いろんな分析が行われている。まず、民進党側に絶対負けるはずがないという油断が当初あり、対策が遅れた。次に、2014年に圧勝した陳菊の傲慢さがメディアで目に余り、反感をもつ市民が多かった。さらに20年にわたる民進党市政の間、高雄の地盤沈下は明らかで、若者を中心に民進党市政への失望が高まっていた。

一方、韓国瑜は、国民党内では冷遇されてきた。国民党内には、騎馬で台湾にやってきたエリートと、裸足同然でやってきた歩兵の間でかなりはっきりしたヒエラルキーがある。韓国瑜はそのヒエラルキーの下のほうだ。なので、ノンポリ中間層から見れば、国民党候補というより青果市場のCEO、野菜売りのおもろいおっさんが立候補したという印象で、国民党も民進党もうんざりだ、という無党派層の心をつかんだ。

韓国瑜自身のキャラクターとその選挙戦略は、こうした党派政治にうんざりしていた有権者の、悪くいえばポピュリズムにはまった。韓国瑜は選挙事務所も後援会もつくらず、主にネット選挙で、台北など北部都市部で働く若者〝北漂族〟をターゲットにした。台湾の選挙は戸籍所在地で投票しなければならないので、台北で働く若者も投票日には高雄に帰ってくる。地元を選挙カーで回る選挙運動は北漂族には届かないが、ネット選挙ならアピールできる。

また、対立候補を批判するなどのネガティブキャンペーンを完全に封じ、政治的イデオロギー色を出さず、台北市の企業経営者の顔を全面に出して、〝野菜売り〟〝禿げ頭〟の親しみやすいイメージキャラクターをつくった。難しい政策はいわず、「CEO市長」「高雄を台湾一豊かな都市にする」「高雄の人口を270万人から500万人にする」「高雄にディズニーランドを誘致する」といったわかりやすい目標だけをぶち上げるワンフレーズ・キャンペーンに徹した。

同時に、こうしたキャラと選挙戦略が中国の「ネット水軍」に付け入る隙を与えた。韓国瑜ブームは「中国による世論分断工作」が大きかった、と民進党サイドは指摘している。選挙直前の22日の大陸委員会の記者会見で欧米メディアの質問に答えるかたちで、報道官は「最近、中国から事実ではない嘘の情報が流れており、それがすべて台湾民主選挙への介入を意図した圧力手段である。これらの状況は各界が皆ともに目撃しており、すでに国際社会の普遍的な公認の事実である」と中国を批判した。

中国の台湾への選挙干渉は今さら珍しいことではない。これまでも中国に進出する台湾企業への恫喝と懐柔、台湾企業を通じた親中候補への政治献金、台湾農産物の輸入を選挙日程に合わせて調節し、中国で働く台湾人への投票のための帰郷を支援する給付金や有給休暇制度などを実施してきた。だが2018年統一地方選は、高雄市長選に象徴されるようなネット選挙が展開されており、中国が得意とする〝ネット世論工作〟が威力を発揮しやすかった、といわれている。

## 「中国のサイバー軍が完璧な産業チェーンを形成している」

韓国瑜は選挙宣伝用のネット動画を流すと、100万人以上が視聴し、その現象自体が〝韓流〟と台湾メディアに報じられ、それがさらに台湾全体で国民党への追い風となった、と分析されている。だが、韓国瑜の動画を視聴し「いいね!」をつけ、PTT(台湾で人気のネット掲示板)に応援コメントをしている人間は匿名で、台湾有権者とは限らない。民進党側は、中国の愛国ネットユーザーが数にものをいわせて、台湾世論を引っ張ったと見ている。

中国愛国ネットユーザーが2016年に蔡英文のフェイスブック上で〝洗板〟といわれるコメント欄荒らしを行なったが、今回は、そんな露骨な嫌がらせではない。韓国瑜応援のコメントには明らかに中国的文章表現や、中国だけで使われる簡体字のものも交じっているし、わざわざシンガポールやマレーシアといった第三国のサーバーを経由した書き込みもあった。

フェイスブックのネットユーザーグループ・王立第二戦研所が、中国共産党が台湾企業や台湾伝統メディア・ネットメディアを巻き込んで、どのようにネット世論工作を行なっているかを図式にして「中国のサイバー軍が完璧な産業チェーンを形成している」と発信している。これ自体がじつは匿名の、裏の取れない情報ではある。

## 最大の敗因は蔡英文政権の政治手腕のなさ

だが、中国が軍民融合のサイバー部隊を動かしていることは、解放軍の戦略教科書にも明記されている事実だ。仮に、指摘されるような世論誘導があったとしても、コメンテーターやネットユーザー、支援者らにばらまかれる金は出どころもロンダリングされているし、コメンテーター自身が世論誘導に利用されているのかに気づかないぐらい洗練されている。

だから、民進党がこうした中国の選挙介入への警戒をいえばいうほど、逆に民進党が劣勢なので苦し紛れの言い訳をしている、自分たちの政治のまずさを反省せずに中国のせいにしている、といった批判のネット世論が巻き起こってしまった。一般に、世論誘導されているほうは、自分が誘導されているとは気づかないし、指摘されても納得しない。

さらに、韓国瑜が２００１年に北京大学光華管理学院に留学している、中国共産党が未来の台湾総統に、と育てた人物である、という噂がネットに流れると、こちらのほうが民進党サイドが流したフェイクニュースだ、といわれる始末だった。

ネット世論工作というのは、実態が簡単につかめないからこそ、世論が誘導される。明白な証拠が挙げられているわけではない。しかも、結局そのネット工作がターゲットにしているのは、人々の中にすでに生まれている懐疑や不満、不安なのである。

有権者の中にすでに蔡英文民進党政権への慎重すぎる姿勢への不満、高雄の現状を変えたいという欲求、台湾の国際環境が中国によって圧迫されていることの不安などがあって、その漠然とした不満や不安を巧妙に煽(あお)ることで、爆発的な怒りや批判の世論の潮流や社会を分断するような大きな対立を作り出すにすぎない。

そういう意味では、たとえ中国がネット世論工作を仕掛け、選挙介入を試みたとしても、最大の敗因はやはり蔡英文政権の政治手腕のなさ、ということになる。

## 「香港の死」で息を吹き返す

この2018年の地方統一選挙結果は、内政外交ともに苦戦している習近平政権にとって、久々の朗報であった。中国は台湾の選挙に関してはほとんど報じないのだが、韓国瑜の高雄市長当選と、民進党の大敗を受けての蔡英文の民進党主席責任辞任のニュースは新華社も速報した。さらに、中国国務院台湾事務弁公室の報道官が翌日に行なったコメントが興味深い。

「この選挙結果は広範な台湾民衆が両岸関係の平和発展における〝紅利（ボーナス）〟を享受し続け、経済民生を改善したいという強烈な願望を反映している。引き続き92年コンセンサスを堅持し、台湾独立勢力とその行動に反対し、広大な台湾同胞と団結して両岸関係の平和発展の道を進んでいこう。両岸関係の性質において、両岸都市交流の性質を正確に認知したうえで、台湾のさらに多くの県市が両岸都市交流に参与することを歓迎する」

こうして中国の対台湾戦略は、台湾の市ごと、県ごとの分断に目標が集約されていった。この選挙の直後、元台北駐日経済文化代表処代表で、国連大学高等研究所名誉教授でもある羅福全氏とお会いしたとき、こんなことを言っていた。

「私は中国が台湾に軍事進攻してくる心配はしていません。むしろ台湾が内部崩壊させられることを心配している。でも、中国共産党も決して長くはもたないと思うのです。だから今は台湾人が崩壊させられないように耐え忍ぶ時期です」

だが、この蔡英文の大敗を習近平は自分の政策ミスで相殺してしまった。

2018年のこの惨敗後の2019年1月2日、習近平の不穏な台湾政策「習五条」が発表され、台湾有権者の反中心理を刺激したのである。さらに、香港で予想を超える激しさの「反送中」(「逃亡犯条例」改正反対運動)デモが広がり、それを習近平が力ずくで鎮圧し、香港の一国二制度を完膚なきまでに叩き壊す事件が発生する。この「香港の死」が、台湾有権者の完全なる中国に対する敵愾心を増強させ、死に体だった蔡英文政権に息を吹き返させたのだった。

## 2020年総統選での蔡英文の圧勝

2020年1月11日の台湾総統選挙の投票結果は、現職・蔡英文総統が過去最高の得票数817万票を獲得しての圧勝に終わった。立法院議席も113議席中61議席の過半数を民進党が取り、とりあえず民進党にとっては大満足の結果であったことだろう。このときも私は台北の蔡英文候補事務所前に設置された集会場の現場に赴(おもむ)き、民進党支持者の中で選挙の結果を知った。当選が確定した直後、周囲の人たちにこんな質問をした。

2020年、台湾総統選挙での蔡英文陣営

「蔡英文政権2期目に期待することは？」
「中国からの軍事的圧力が心配ではないか？」
「中国からの圧力で経済が今よりももっと悪くなると心配ではないか？」

ある初老の民進党支持者男性は「司法改革をやり遂げてほしい。今の台湾の司法は公平ではないから。国民党が得するような法律ばかりだ」「経済は世界中が悪いから、台湾の経済がさらに悪くなるのは、もう仕方ない」などと答えた。中国の軍事的圧力については、「やれるもんならやってみろ！」。

また別の中年男性は「経済がよくなるとは思えない。副総統の頼清徳（らいせいとく）が4年後の総統選に出馬して勝つだろう。そのときに期待している」「台湾人は軍事的脅しに屈しないし、経済が大変なのも耐え抜ける」と語っていた。

## 「国民党は中国共産党に近づきすぎた」

私は1月9日から台北に入り、人に会うたびに、誰に投票するか、蔡英文政権をどう評価するか、再選したら何を期待するかを聞いて回ったが、そのときの蔡英文政権の評判はかなり悪かった。下町のレストランや屋台で働く人、タクシー運転手、ホテルの従業員など数十人にとりあえず聞いてみた。

台湾人の友人が、こう説明する。「蔡英文は評判悪いよ。私も4年前は蔡英文に入れたけど、今は嫌い」。

蔡英文が嫌い、という理由は様々だが、やはり尖(とが)ったリベラル政策、たとえばアジア初の同性愛結婚法の導入や、「一例一休」と呼ばれる〝働き方改革〟が台湾社会の実情を無視したものだったこと、体感として経済がはっきりと悪化し、物価が値上がりして暮らしにくくなったことなどが挙げられた。

また、蔡英文と頼清徳が民進党・総統候補の座をめぐって激しく戦ったとき、蔡英文の戦い方がフェアでなかった、と文句をいう人もいた。「蔡英文側は、4月に予定されていた予備選を自分たちの都合で延期した。4月に予備選をやったら頼清徳が総統候補になっていたのに」と。

だが、そんなふうに蔡英文政権への批判を山のように説明した後、最後には「それでも、総統選は女のほうに入れる」と結んだ。「なぜ?」と問うと、「国民党は中国共産党に近づきすぎた」「選挙というのは、腐ったりんごの箱からいちばん腐っていないマシなりんごを選ぶことなんだ」「中国に飲み込まれたくないから、（蔡英文は嫌いだけど）涙を呑んで女に投票する」。

台北市内は物乞いが増えていた。コロナショックの影響か

つまり、今回の総統選の蔡英文圧勝は、蔡英文の勝利でも民進党の勝利でもなく、中国共産党への台湾有権者の拒否感が投票行動に反映されたのだった。つまり習近平の敗北であった。またあえていえば、対抗馬の国民党候補の韓国瑜に魅力がなか

った。

韓国瑜は2018年の統一地方選挙で「韓流・韓国瑜ブーム」を社会現象的に起こし、国民党圧勝を招いた。だが、実のところ、それは高雄市民が民進党市政に愛想を尽かしたところに起きた中国共産党による世論誘導による部分が大きく、典型的なポピュリズム選挙の結果だった。韓国瑜に政治家としての高い行政手腕があるわけでもなく、また自分の実力を見誤っていた部分もあって、それは早々に露呈しはじめていた。

## 香港市民の4人に1人が参加した「反送中」デモ

さらに習近平が2019年1月早々、鄧小平の『台湾同胞に告げる書』40周年に、習五条という台湾政策を発表した。このとき習近平は「できるだけ早い統一」を語り、江沢民時代、胡錦濤時代の台湾政策には感じさせなかった統一タイムリミットを設けた。明らかに習近平が自分の任期内に統一を実現しよう、ということだ。そして「一国二制度」による統一を強調した。そしてその年の春から秋にかけて香港で「反送中」デモが起きた。

中国と香港の間で犯罪者引き渡しを可能にする逃亡犯条例改正に反対する民主派の抵抗から始まったデモは2019年6月12日、警察側が催涙弾など武器を使用して鎮圧、この香港当局のやり方に自殺で抗議する抵抗者も出て、同年6月16日には、香港市民の4人に1人が参加する200万人規模の歴史的デモを引き起こした。だが習近平の指示を受けた香港当局は、こうした抵抗運動をすさまじい警察力で完膚なきまでに鎮圧し、2020年4月までにのべ8000人以上が逮捕される弾圧が行われた。

この香港の2019年の「反送中」デモに対する鎮圧は、香港で「一国二制度」で掲げられている香港人による香港統治というものが、中国政府の語るまやかしであることを国際社会に知らしめ、中国の一部でありながら自由と法治のある国際金融都市としての香港のイメージは地に落ちた。

こうしたことから、習近平の提示する「一国二制度」による台湾統一は、たとえ大陸ビジネスで利益を得て、今まで親中派とされていたノンポリの台湾有権者ですら、絶対に受け入れられないと思うほど、恐ろしいイメージを与えるようになった。

もし台湾が中国に統一されたならば、これまで築いてきた経済的繁栄、法治、民主、自由、平和のすべてが破壊される、というイメージだ。かつて蔣介石独裁時代の辛酸の記憶がある台湾だけに、その拒否反応は強かった。しかも、この香港の惨状は、香港人が台北で起こした殺人事件の犯人引き渡しの問題に端を発しており、台湾人としてはかなり深刻なテーマだった。

中国との関係強化を掲げる国民党は、その段階で不利だった。さらにいえば、総統候補の「弾」が悪かった。総統候補としては、韓国瑜・高雄市長、郭台銘・フォックスコン元会長、朱立倫・元新北市長、周錫瑋（しゅうしゃくい）・元台北県長、張亜中・孫文学校総校長の中から、韓国瑜が最終的に選ばれたのだが、総統候補予備選前の9月9日、韓国瑜は香港の「反送中デモ」についてコメントを求められたとき、「よく知らない、わからない」と曖昧な逃げ腰のコメントしかできなかった。このときはまだ国民党候補選びの予備選挙前で総統候補の立場ではなかったが、政治家としての意識の低さを露呈することになった。

## 有権者の選択基準は対中姿勢や台湾の国家観にある

こうして2020年1月の台湾総統選は、蔡英文政権のこれまでの政策評価がきわめて低かったにもかかわらず、蔡英文の圧勝となった。ただ圧勝とはいっても、よくよく見れば、投票率は74・95％と前回総統選よりも9ポイントも上回ったのに、蔡英文の得票率は57％で、前回より1ポイント上がっただけ。韓国瑜比例の得票率は38％で、前回総統選より7％以上、上回っている。

つまり、投票者が大きく増えたのに、蔡英文の得票率はそんなに伸びていない。立法院選挙では、民進党としての比例票得票率は33・98％、国民党の得票率33・36％とそう差はなく、ともに比例議席は13議席。つまり民進党は比例議席で5議席も減らし、選挙区議席も2議席減らして、全体で7議席を失っている。国民党の総議席数は前回よりもプラス3議席の38議席。

むしろ注目に値したのは、小規模政党の動きだった。「民衆党」という台北市長の柯文哲がつくった新党が、初選挙でいきなり比例5議席を獲得した。柯文哲は比較的中国寄りだが、一国二制度に対しては否定的で、香港デモの民主は応援するという立場。国民党にも民進党にも愛想を尽かした有権者の票が流れた。比例得票率は5％を優に超えた11・22％。

「台湾基進党」という、ひまわり運動から生まれた出来立てほやほやの台湾独立派（国家完成派）政党の陳柏惟（ちんはくい）は、台中市の選挙区で国民党の現職候補を破って議席を獲得。２０１６年に新党として立法院選挙に初めて参加し、５議席を獲得し注目された「時代力量」は、２０２１年２月からの分裂騒動や不祥事などがあったにもかかわらず、比例3議席を維持した。

つまり、台湾の政党政治に対する期待度は全般的に低く、有権者の選択基準は「一国二制度」や香港問題に対する姿勢、そして中国に対する姿勢や台湾の国家観を明確に打ち出せているか、というところがポイントだったといえるだろう。

この総統選での蔡英文勝利で、民進党政権は2期目に突入。この2期目早々に、新型コロナ肺炎という中国発の疫病に見舞われる。内政手腕ではなく、反中国世論の追い風という外部要因で2期目当選を果たした蔡英文は、その後、「抗中保台」という中国への抵抗姿勢を打ち出し、中国からの訪台客を水際で徹底的にコントロールする台湾版「ゼロコロナ政策」で成果を上げ、支持率を上げていったことは序章で述べた通りだ。

だがその後、米国がトランプ政権からバイデン政権へと交代、米国のレームダックとともに米中対立が先鋭化する中で、ロシアがウクライナに侵略戦争を仕掛け、習近平政権が3期目連任を果たし、毛沢東並みの独裁政権へと変貌していき、台湾有事への懸念が深まる中で迎えた2022年の統一地方選で、蔡英文民進党は結党以来最悪という歴史的惨敗にまみれるのだった。

## 2022年、民進党の歴史的大敗北

2022年11月26日、台湾の統一地方選（九合一選挙）が行われた。そのときも私は台北にいた。すでに敗北の予想は出ていたが、民進党結党以来の歴史的大敗北になるとは私は思っていなかった。

嘉義(かぎ)市は候補者急死のため12月18日に選挙が延期されたため、11月26日に選挙が行われたのは、台北市など6大都市を含む21県市。この中で民進党候補が首長に当選したのは、6大都市中では高雄と台南のみ、21県市全体でも5県市だけだった。2018年の九合一選挙でも民進党惨敗と報じられたが、そのときですら7県市の首長選で民進党候補が当選していた。

一方、野党国民党の候補は8年ぶりに台北市長を蔣介石の曾孫の蔣万安が奪還し、桃園、新北、台中の4大都市長選を含め、13県市の首長選挙で勝利した。台北市長の柯文哲が2024年の総統選挙出馬を視野に入れて創設した民衆党は、公認候補が新竹市長に当選。ほか無所属が2県市を押さえた。12月に行われた嘉義市長も、年明けて1月に行われた台北市の立法委員補選も、ともに国民党が勝利した。

自由時報
縣市長剩5席
民進黨大敗
蔡辭黨主席
2022年
縣市長選舉
各政黨
執政版圖

民進党の惨敗を報じる『自由時報』(2022年11月)

選挙戦が始まったばかりの9月初旬の段階で、私が台北と台南あたりを取材した感触では、圧勝は無理でも、直轄市の台南、高雄で現職市長の座を維持するとともに、桃園の鄭文燦（ていぶんさん）市長の後継候補が民進党市長の座を守り、加えて台北市長の座は十分に互角に戦えると見ていた。そして台北市長が取れれば事実上の民進党勝利で、有権者の民進党政権に対する通信簿は合格点をつけられた、ということだと考えていた。

台北市は、新型コロナ防疫政策の英雄・陳時中（元厚生福利部長）を候補に立て、対抗馬の国民党のプリンス蔣万安と互角に戦えると見ていた。桃園市長と台北市長に民進党候補が当選すれば、民進党としては大勝利といえる。

首都台北市はもともと国民党の牙城だが、現職市長は無所属当選で2期務めた柯文哲。柯文哲が創立した民衆党推薦の無所属候補として女性副市長の黄珊珊（こうさんさん）が参戦する三つ巴戦となったことで、民進党として国民党とも接戦ができると計算していた。

というのも、台湾武力統一の選択肢もちらつかせる中国の習近平政権が異例の任期3期目に突入し、本来国政と直接関係ない地方選挙でも、中国の脅威とどのように向き合うかが争点の一つになると見込まれていたからだ。国民党の党是は共産党との平和協議の実現、民衆党は友中親米路線を打ち出したのに対し、民進党のスローガンは「抗中保台」（中国に抗い、台湾を守る）。

蒋万安選挙事務所

黄珊珊選挙事務所前。ノンポリ層からの支持が高かった

中国と友好的でいたいと考える有権者の票が国民党・蔣万安と民衆党推薦無所属の黄珊珊に分散する一方、抗中派の票は民進党一本にまとまるはずだった。２０２２年の10月18日に台湾民意基金会が発表した蔡英文政権支持率は51・２％と盛り返していたうえ、台湾のＧＤＰ成長率も４年連続３％突破が見込まれており、与党にとって決して不利な条件ではなかった。

## 敗因は派閥対立による団結不足

だが台北市長選の結果は、蔣万安が14万票の大差で勝利した。得票率は蔣万安42・29％、陳時中31・93％、黄珊珊25・14％。なぜ与党は惨敗したのか。

16時に開票が始まるとすぐに私は陳時中選挙事務所前の広場に行ったが、支持者らは18時前にはすでに敗北を悟ったような空気だった。選挙運動も盛り上がりに欠けていた。あとで支持者から聞いた話では、今回の敗因は主に党内にある、という。それが証拠に、蔡英文が党首辞任したのち、党内ではさっそく「戦犯」探しが始まった。

敗因の一つは、党内の派閥対立問題による団結不足だと、多くの党員が指摘している。民進党内にはいくつか派閥があり、蔡英文の側近、支持派で形成された泛英派と、頼清徳の属する新潮流は、今回は対立関係にあった。蔡英文総統と頼清徳副総統は、２０２０年の総統選のとき、その予備選を激しく争い、頼清徳支持者たちは、そのとき蔡英文が党首権限で予備選日程を一方的に先延ばしにしたのはフェアではなかった、という不満を抱えていた。

蔡英文が総統候補に決まったあとは、副総統として蔡英文を支える側に徹した頼清徳だが、頼清徳支持者からすれば、「頼清徳は、アンフェアなかたちで2020年総統選の候補を諦めて、なお蔡英文2期目を支えたのだから、2024年の後継総統候補は頼清徳であるべきだ」という思いがあった。

だが蔡英文は、自分の後継候補には、できれば1期目の蔡英文政権で副総統を務めた感染症専門家で台湾大学教授の陳建仁を推すつもりでいた、という。蔡英文は今回の地方選挙の候補にかなり自分の「お気に入り」を押し込んだが、これに不満をもつ党員たちの中には、ディベート力や政策力を候補同士に競わせて実力のある候補を選出すべきだ、という意見もあった。

蔡英文としては総統を引退したあと、党内でいかに影響力を維持するかを考えるのは当然としても、もし蔡英文欽定（きんてい）候補が大勝利を収めれば、党内の蔡英文派の影響力は絶対的になり、次期総統選の候補も蔡英文派になる可能性が強まることを懸念する党員や支持者もいたという。そういう内心の不満が、選挙運動の足並みの乱れにつながったという見方がある。

## 陳時中を英雄視したのは大都市ではなく地方

また、選挙戦略、戦術自体にミスがあったという指摘もある。

たとえば台北市候補の陳時中は元歯科医で、実直でまじめ、というよいイメージはあるが、けっして弁舌さわやか、演説上手というわけではない。衛生福利部長としては、市民に我慢を強いる厳しい新型コロナ政策を、辛抱強く説明しながら理解を得て推進し、台湾をパンデミックの脅威から守ったという実績があり、台湾全体としてはコロナから台湾を救った英雄のイメージがついていた。

ただ、彼を英雄視するのは、比較的地方の、医療衛生環境が遅れた地域だ。そういう地域は徹底した感染拡大防衛策が高く評価されていた。これは、大都市で医療も衛生環境も比較的整っている台北においてはちょっと違う。厳しい防疫政策は経済を停滞させ、中小小売店、飲食店を潰し、市民を苦しめたという印象が強く、そこまで高く評価されていない。もし陳時中が台北市以外の地方都市の首長候補であれば、勝てたかもしれない。

また、今回の選挙で世論を誘導するために民進党が雇った党外のネット部隊、ネット・インフルエンサーらは、攻撃的で下品で、フェイク情報をばらまいたとして批判を受けた。彼らを選挙運動に引き入れたのは蔡英文派の洪耀福、洪耀南の党幹部らであるとして、選挙後は戦犯扱いされていた。こうしたネット・インフルエンサーたちによる選挙宣伝は、陳時中の実直、清潔なイメージをむしろ傷つけたし、若い潔癖な有権者の反発を生んだ。

## ◈若者の民進党離れを誘う

また、対抗馬の国民党候補で蔣介石の曾孫の蔣万安に対するネガティブキャンペーンも、若い有権者にはむしろ不快感を誘った。民進党にしてみれば蔣介石・蔣経国親子は恨み骨髄の独裁者であり、その独裁者の子孫も悪の化身という感情があるが、若い有権者にしてみれば蔣介石も蔣経国も歴史上の人物。血がつながっているかどうかもあやふやな蔣介石の曾孫にまで、その悪名をかぶせて貶(おとし)めるやり方はリベラルな若い有権者から見れば、差別問題だと感じるだろう。

「子供は親を選べない」のに、出自や血統で人を差別していいわけがない。しかも、蔣万安自身は選挙戦で自分が蔣介石一族であることをあえて喧伝することもなく、台湾生まれで、米国留学を経て米国の法律事務所で弁護士としての勤務経験があり、むしろ今時の成功した台湾の若者を代表する生き方をしてきた。同性愛に理解があり、対中政策はむしろ蔡英文に近い中間派だ。

「私は台湾人だ」と台湾アイデンティティを主張する蔣万安に「独裁者の孫」と罵声を浴びせる理不尽さは、ノンポリの若者の民進党離れを誘った。

そうした状況の中、国民党側のネガティブキャンペーンが、ボディブローのように効いた。選挙前に、オミクロン株の感染が拡大したタイミングで、民進党が推奨していた国産の高端ワクチンをめぐり、衛生福利部がワクチン購入契約に関する文書を機密扱いにしていたことが国民党系メディアで暴露された。高端ワクチンは、臨床試験2期の段階で政府が緊急認可し、接種が推奨された。

しかし、WHOの緊急使用ワクチンリストには含まれておらず、日本が外国観光客らに門戸を開いたときの入国要件として高端ワクチン接種は認められなかった。政府の推奨を信じて高端ワクチンを接種した人々の中には、「与党に騙された」と感じた者もいたかもしれない。このワクチン問題も、海外旅行に行きたかった富裕層が多く住む台北市で、陳時中のイメージダウンに追い打ちをかけた。

また、前新竹市長で当初桃園市長選に候補として出る予定だった林智堅の論文剽窃・学術腐敗問題のスキャンダルも、最後までダメージを引きずった。新竹市長の座が民衆党女性候補の高安虹に奪われただけでなく、桃園市長選挙も国民党候補の張善政（ちょうぜんせい）が当選したのは、このスキャンダルの影響も大きいだろう。

さらに、民進党があまりにも「抗中保台」を訴えすぎたことが、有権者をうんざりさせたという。蔡英文は選挙運動で「県市長選挙で民進党候補に入れることは、蔡英文に投票することだ」「選挙結果によって、世界に台湾が変わらないことを示そう」といった発言を繰り返した。

だが台湾社会は、若者の失業問題や急速なインフレ、不動産高騰、厳しい防疫政策による飲食・小売店の倒産ラッシュなど、足元では深刻な経済問題に直面している。そうした庶民の切実な問題に効果的な政策を打ち出すことができず、国政に直接関係ない地方選挙にまで「抗中保台」を打ち出して支持を得ようとするやり方は、むしろ反感を呼んだようだ。

## 「足元の問題を見ずに威勢のよいことばかり」

2020年の総統選で蔡英文に投票したという有権者たちに「抗中保台」について意見を聴取したとき、そのうちの一人が「昔の国民党が『大陸反攻』と叫んでいたのを思い出した。まったく現実味がない。実際に習近平が台湾を奪いに来たら、それに抗う実力なんて台湾にはない」と言い捨てた。

彼らの多くは今回の投票に行かなかった。「足元の問題を見ずに威勢のよいことばかりを言う民進党には投票したくない」というのがその理由だという。結果的に、今回の6大直轄都市選挙の投票率は59・86％と、前回2018年の66・1％を大きく下回った。

台北の国立政治大学の石原忠浩・助理教授が、外交専門誌『外交』（2023年1・2月号）にこの台湾地方統一戦についての論考を寄稿していたが、それによると、この選挙のいちばんの敗北要因は「民進党の過信」という。民進党はこの大敗北を受けて蔡英文が党首を辞任したのち、敗因についてつぶさな分析リポートを出した。そこにも「執政者としての自信が、有権者の目には執政者の傲慢に映った」という反省を書いている、という。

## 権力の独裁化に敏感な有権者

台湾統一地方選挙後ほどないころに、台湾政治に詳しい東京外国語大学の小笠原欣幸教授にインタビューしたとき、印象に残った指摘は、台湾有権者の権力に対するバランス感覚が鋭敏であるということだった。

たとえば桃園市は、民進党の鄭文燦が2014年に初代桃園市長として当選し、8年の施政を行なった。『天下雑誌』などのメディアが調べる市政満足度ランキングでは2017年以降、

6大都市中1位をキープし続け、8年の任期の間に人口を20万人以上増やし、アジアン・シリコンバレー計画などいくつもの大プロジェクトを誘致するなど、その行政手腕は有権者から高く評価されていた。

民進党内でも、そして私を含めて多くのジャーナリストたちも桃園市は民進党の鄭文燦の後継候補が楽勝であろう、と選挙戦開始前は見ていた。

だが小笠原教授は、早くから桃園市は国民党候補が勝つであろうという予測を言っていた。そういう予測ができたことについて理由を聞くと、それが台湾の有権者心理である、と説明していた。

台湾有権者は、権力の独裁化に非常に敏感であり、政権の長期化を回避しようという心理が働きがちなのだという。8年、民進党が非常に高い行政手腕を振るって評判もよかった。何の不満もないが、ならば次は国民党の市長にやらせてみよう、と考えるのが台湾有権者なのだという。

こういう政治に対するバランス感覚が、政治大学の石原助理教授も指摘していた「民進党の過信」「執政者の自信が、有権者の目には傲慢に映った」という敗因を生んだといえる。

蔣介石・蔣経国の長期独裁に苦しんできた台湾有権者には、独裁を警戒する強い気持ちと、特有の嗅覚がある。民進党・蔡英文政権や民進党の首長にとくに大きな不満をもっていなくとも、ふとした言動に、独裁に陥りそうな危険な匂いをかぎ取ったのかもしれない。

それが２０２２年の統一地方選の民進党の結党以来の惨敗の本質的な原因だとすると、私は台湾有権者の民主主義を守ろうとする志の高さに脱帽するのである。

# 第4章 2024年の総統選挙と台湾の未来

## 台湾の命運を左右する２０２４年の総統選挙

こうした選挙結果は、２０２４年1月13日に予定される総統選挙にどのような影響があるのだろう。

小笠原教授も石原助理教授も、ともに統一地方選と国政選挙において、有権者の投票動機はまったく異なるという見方をしている。統一地方選は有権者にとって台湾内政、経済、自分たちの暮らしに関わる問題がいちばんの争点だ。もちろん、６大都市級になれば都市間外交などを通じた影響力をもち、首長が親中派であれば、地方レベルでの中国企業誘致計画が進んだりもするが、それは国政における外交とはまったく次元が違う。

来る(きた)２０２４年総統選および立法委員選挙は、台湾の命運を左右する選挙であり、台湾の命運にいちばん大きく影響を与えるのは、中国、そして米国の関係である。民進党、国民党、柯文哲が立ち上げた新党の民衆党が、総統の座と立法院の議席数を争うことになるだろう。そこでいちばん問われるのは、中国、米国との関係の在り方と、そして台湾という国の国家観だろう。

２０２２年11月の統一地方選で民進党が歴史的惨敗を喫したことは、民進党支持者にとって必ずしも悪いことばかりではなかった。一つは、党内で厳しい敗因分析がなされ、民進党蔡英文政権そのものに過信と傲慢さがあったという内省を得られた。そしてもう一つは、総統選の民進党候補を早々に頼清徳に決定することができた。

統一地方選大敗の責任をとって総辞職した内閣（行政院）の新しい閣僚が2023年1月に選ばれたのだが、行政院長は陳建仁・元副総統だった。陳建仁は蔡英文政権1期目のときに副総統を務めた感染症専門家の学者であり、もし台北市長選で元厚生福利部長の陳時中が快勝すれば、蔡英文が信頼する陳建仁と頼清徳が総統候補の座を争う可能性もゼロではなかった。

だが、台北市長選どころか統一地方選全体の大敗北で蔡英文の党内影響力は大きく後退し、民進党最大派閥の新潮流派の中心人物の頼清徳候補で、党内が早々にまとまることになった。

陳建仁を行政院長（首相）に任命したことで、陳建仁に総統候補の可能性がゼロになったことがはっきりした。陳建仁は、敗北責任を負う蔡英文政権のアディショナルタイムを最後まできっちりやるには適任であったということだろう。

## 民進党候補・頼清徳の素顔

頼清徳は台湾の国家観が比較的明確だ。頼清徳が所属する新潮流派は、今はなき美麗島派と

台南市長時代の頼清徳は、ツーショットに気さくに応じてくれた

ならぶ創立当初からの党内派閥だ。党外（国民党に批判的な）雑誌『新潮流』を源流とし、民進党結党メンバーでもある邱義仁（きゅうぎじん）らが作り上げた。初期は社会民主路線を主張し、民主集中制を研究したこともあった。もともと労働階級の社会運動家が多く参与していたからだ。のちに党内台湾独立運動を代表する立場になり、民進党の綱領に台湾独立条項を入れることを主張した。

これに対抗する派閥は、中間派ともいえる美麗島事件関係者を中心とする美麗島派だったが、美麗島派は１９９７年に複数に分裂し、さらに陳水扁総統時代の２００６年に党内派閥解散案が可決され、後継派閥もほとんど影響力を失った。

新潮流も２００６年の党内派閥解散案が決議されたのち、名義上は解散したが、２００８年に台湾新社会シンクタンクというかたちで実際は継続され、「台湾独立」「群衆運動」「社会民主主義」の三大主張を掲げ、今も政治ウォッチャーたちから新潮流と認識されている。新潮流が最大派閥として生き残ったのは、おそらく若手エリート政治家を発掘、養成することに熱心であったからだ。頼清徳もそうして鍛え上げられてきた若手政治家の一人で、今や新潮流の中心人物となった。

新潮流派閥に入るには、2人以上の幹部の推薦や能力の審査、民主集中制の実施に賛成か、派閥内紀律遵守など比較的、厳しいハードルがあるそうだ。派閥内の激しい弁論合戦で鍛え上げられ、選挙に強い党員が多いといわれている。

## 基本はプラグマティスト

頼清徳が中国から「台独派」として敵視されるのは、台湾内で台湾独立運動派の立場を代表する新潮流の中心人物であり、台南市長時代には「台湾が独立国家である」と公言してきたからだろう。

たとえば2014年、台南市長時代の頼清徳は初めて中国を訪れ、上海復旦(ふくたん)大学で講演したが、そのときは「両岸協力を対抗の代わりとし、交流をもって包囲の代わりにしよう」と呼び掛けつつも、「台湾独立の主張は台湾社会ではきわめて大きなコンセンサスであり、民進党に台湾独立の綱領を放棄させても、台湾人の独立を求める主張はなくならない」と言ってのけ、北京の敵意を買っていた。

２０１７年に行政院長に抜擢され、台南市長時代の物議を醸す言動についていろいろ言われたが、そのときは自ら「実務派の台独主張の政治家」という立ち位置を打ち出した。「実務派」と自称するように、基本はプラグマティストであり、政権メンバーとして仕事をするようになってからは、注意深く慎重な言動の印象を私はもっている。

２０１９年の総統候補予備選に敗れてから、副総統として蔡英文総統を支える立場を選んだ頼清徳は、少なくとも今までその内心を対外的に漏らすこともなく、次期総統選候補として内外から注目を浴びている今ですら、外国メディアの単独インタビュー、取材などは慎重に避けている。

周囲への配慮が細かく、人当りは非常によく、私も台南市長時代に二度ほどお会いして好感をもっている。若いときはかなりのハンサムであり、日本人俳優の大沢たかおに似ていると評判でもあった。大沢たかおは魏徳聖（ウエイダーシエン）監督の映画『ＫＡＮＯ　１９３１海の向こうの甲子園』に八田與一（はったよいち）役で出演し、台湾人にも愛されている俳優だ。また頼清徳の側近たちの話では、非常に強いリーダーシップをもち、決断も早い。

## 災害対策、陣頭指揮がリーダーのリトマス試験紙

頼清徳のリーダーシップを示す逸話としては、2016年2月6日の台南大地震だろう。これは1999年9月21日の921大地震以来の大地震で、台南市が被害の中心だった。頼清徳市長自らが現場で陣頭指揮を取り、昼夜徹しての救援活動を行なった。このときの現場指揮の速さと的確さは、921大地震で陣頭指揮を取った当時の李登輝総統を彷彿(ほうふつ)とさせるものだった、という。

921地震発生時の李登輝はすぐさま被災地にヘリで飛び、現地を見たうえで混乱する現場の機能を整理し、それぞれの分野、範囲に分けて責任者を指名し、的確に指示を与えた。日本はじめ、海外からの救援支援の受け入れをはじめとするあらゆる対応を脅威的なスピードで決定していった。この経験はのちに李登輝著『台湾大地震救済日記』(PHP研究所)にまとめられ、今も李登輝伝説の一つとなっている。

地震や台風の自然災害が多い台湾では、災害対策、陣頭指揮がリーダーの能力の一つのリトマス試験紙だ。馬英九が台湾有権者からの評判が悪かったのは、サービス貿易協定のせいだけではなく、2009年8月8日、戦後最大の死者を出した台風8号災害への対応のあまりの要

領の悪さから、リーダーとしての資質に疑問をもたれたこともあった。

そういう意味では、頼清徳のリーダーシップについては少なくとも台南市民の評価は高い。蔡英文は２０１６年の総統選で大勝利したが、両岸関係についても、行政改革についても、今一つ決断力がなくすぐさま支持率が低迷し、支持率３割を切った２０１７年９月に林全（りんぜん）行政院長内閣は責任をとって総辞職し、代わりに台南大地震で評価を上げた頼清徳を行政長官につけることで、支持率アップを狙ったのだった。

## 台南市行政で確かな手腕を見せる

また頼清徳の特徴は、貧困から苦学して医者となり、政治家になる間に培われた忍耐強さだといわれている。

頼清徳は今の新北市にあたる台北県万里郷に１９５９年に生まれ、基隆（キールン）北岸で育った。父親は貧しい炭鉱夫で、今は観光地・九份（きゅうふん）で知られる瑞芳山鉱区で働いていたという。祖籍は福建省漳州（しょうしゅう）。２歳のとき、父を炭鉱事故で失い、母親が一人で頼清徳を含む６人の子供を養い育て上げた。

壮絶な貧困の中、苦学して建国中学、国立台湾大学リハビリ医学部、国立成功大学医学院の医学部を卒業後、成功大学付属病院医師となった。2003年に米ハーバード大学で公共衛生学修士を取得。医師、医学研究者として2004年に米国国務省のエリート計画の招聘を受け医学研究に従事、2011年には米国IAE国際学士院栄誉院士の称号を授与されている。

頼清徳が政界に入ったのは1994年。民進党の指名を受けて台湾省長選挙に参戦した陳定南の後を継いで、全国医師後援会の会長となり、選挙本部として支えた。1996年に国民大会代表選挙に台南選挙区から出馬し当選。1998年には立法委員選挙に台南市選挙区から出馬し当選、4期連続で務め、立法委員の成績表ともいえる公民監督国会連盟の名鑑「立法委員問政表現」で2010年に全国1位になった。

こうしてその政治家としての足場を固め始めたうえで、2010年、台南市・台南県の合併によって生まれた直轄都市の台南市長選挙に得票率60・41%で圧勝した。その後、2017年に蔡英文政権下で行政院長に抜擢されるまで台南市行政で確かな手腕を見せ、政治家の実力、人柄ともに高い評価を得ている。

## お嬢様の蔡英文とはウマが合わない?

頼清徳は自らが貧困に苦しんだ経験から、貧困問題、とくに貧困ゆえに進学が困難な児童青少年の問題にも熱心だ。２０２３年３月に行われた貧困家庭児童への支援基金会、家庭扶助基金会の催しに出席した頼清徳は、挨拶で「（早逝した）父親が私に残した最大の資産は貧困」「逆境は天から与えられた賜物だ」などと、貧しい逆境の中で懸命に勉強した経験を振り返っていた。

そういう苦労人であるから、客家の名家のお嬢様で、赤い愛車で大学に通っていたという蔡英文とは対照的で、本質的にはウマが合わない、といわれてきた。

巷で噂される蔡英文と頼清徳の不仲説を広めた一つの事件は、これまでも述べてきたとおり２０１９年の民進党の総統候補選びの予備選で、現職総統の蔡英文と元行政院長だった頼清徳が争ったことだった。

２０１８年の統一地方選の敗戦責任で党主席を辞任していた蔡英文に対しては、民主党の長老たち、呉澧培や彭明敏、長老教会の高俊明牧師、ノーベル化学賞受賞者で中央研究院長の李遠哲らが２０１９年１月３日付の新聞に広告を出して「２０２０年の総統選に蔡英文は出馬せず、第二線に退くべきだ」と訴えていた。民進党内のいわゆる独立派は、蔡英文のリベラル政策にも、中国に対する玉虫色路線にも不満で、それが２０１８年地方統一選の敗因だったと考えていたし、実際支持率も低迷していた。

だがすでに述べたように2019年、党内的にダメ出しされていた蔡英文は、図らずも習近平から「援護射撃」を受けたのだった。習近平の台湾政策「習五条」が同年1月2日に発表され、一国二制度による台湾統一を習近平在任中に実現したい、という強いメッセージが発せられたのだった。

蔡英文はすぐさま、明確に「一国二制度による統一への反対」を打ち出した。これは蔡英文が民進党支持者から不信感をもたれていた対中玉虫色路線を放棄するよい機会となり、一気に蔡英文の支持率が上昇した。

蔡英文が習五条に毅然と反論して喝采を受けたタイミングで、民進党長老が蔡英文批判の新聞広告を出したので、有権者は民進党長老たちの言動がむしろ中国に味方していると反発した。

だが、もし総統候補選びの予備選が当初の予定どおりに4月に行われていたならば、おそらく頼清徳のほうが総統候補に選ばれていた。春の段階ではやはり頼清徳のほうが支持率は高かったのだ。

## またしても習近平の「援護射撃」

2018年の統一地方選の大敗北の責任をとって行政院長を辞任した頼清徳は2月、台南市の立法委員補選で、当初劣勢であるとされていた民進党候補で腹心の郭国文(かくこくぶん)を当選させるために、全精力を注いでいた。この厳しい選挙戦で、頼清徳と郭国文は二人三脚で辻立ちし、有権者に訴え、勝ち抜いた熱いドラマは、私も郭国文当人から聞いたし、また書籍にもまとめられている。

頼清徳は補欠選挙で劣勢を覆して勝利するという選挙運動の醍醐味を経験し、自信をもって総統候補に名乗りを上げたのだった。

だがここに、またしても習近平の蔡英文への「援護射撃」が入る。香港の「反送中」デモに対する過激な弾圧だ。この香港反中デモ弾圧は、香港で導入されている一国二制度では、自由も法治も守れないという現実を暴露した。

このことは、「一国二制度反対」を明確に打ち出した蔡英文へのさらなる追い風となった。

蔡英文は総統権限で4月に予定されていた予備選を6月まで延期。その間、香港「反送中」デモの弾圧が過激になり、香港への同情世論が盛り上がるにつれ蔡英文の支持率も上昇し、支持率が上がった時点で予備選を実施し、蔡英文が総統候補となったのだった。

このことは、頼清徳支持者にとっては「ずる」を働いたというふうに受け取られ、その不満の声は党外にも漏れていた。だが、蔡英文が副総統に頼清徳を指名すると、頼清徳もその心中は封印し、徹底して蔡英文を支える側に回ったのだった。蔡英文と頼清徳のウマが合わないというのは事実だろうが、それ以上に頼清徳は苦労人であり、忍耐の人であるともいわれるゆえんである。

## 「抗中保台」を「和平保台」と言い換える

ところで、日本人の間に頼清徳総統待望論がある。彼が非常に親日家だからだ。2022年、安倍晋三元首相が暗殺された直後、個人の身分で安倍家に訪れ、通夜と葬儀に参加したことは、たんに外交パフォーマンスのためだけではなく、安倍家・岸家との友情や日本に対する深い好意があったからだといわれている。台南という土地が八田與一や映画『KANO』で知られる嘉義農林学校野球部ゆかりの土地であり、もともと親日的土壌があったというところも関係あるだろう。

また米国留学経験者であるから、知米派でもある。2022年1月27日、ホンジュラスのカ

八田與一追悼記念碑

ストロ大統領就任式の場で、頼清徳が米副総統のカマラ・ハリスと「偶然」出会って立ち話をしたことは、中国をうろたえさせた。ハリス側から頼清徳を見つけて、近づき自己紹介し、「米台の共通の利益」について意見を交換したのだという。

もし欠点を挙げるとしたら、本人が苦労人であり、しかも優秀であるから、党内の他の政治家や官僚に対しての評価も厳しいものになりがちだということだろう。リーダーシップが強いということは、ややもすると強引でワンマンという印象になりがちで、台南市長時代も一部市議から「頑固」「独善的だ」という評価がある。

だが自称「実務派」と言うように、たとえ

八田與一が建設を監督した烏山頭ダム

ば蔡英文が2020年統一地方選でスローガンに使っていた「抗中保台」（中国に抵抗し台湾を守る）という言葉が、一部有権者に中国と戦争をするつもりなのか、と反発を受けたのを見ると、「和平保台」と言い換えて、自らの反中色を和らげる努力もしている。

2023年4月の国民党候補がまだ定まっていない段階では、頼清徳を候補に立てた民進党の勝利予測は7～8割と見られていた。

## 試練の国民党

2023年5月17日、国民党の総統選候補が新北市長の侯友宜（こうゆうぎ）に決定した。国民党総統候補には2023年4月5日、フォックスコン創業者の郭台銘が意欲を表明したが、国民党内部で郭台銘は嫌われている。

郭台銘は2020年の総統選挙において、国民党候補の座を韓国瑜らと争った経験がある。そのためにフォックスコン総裁の座を辞した。しかし結果からいえば、圧倒的な差で韓国瑜に敗北した。だがその後、それを不満に思った郭台銘は国民党を離党、柯文哲率いる第三党の民衆党に肩入れし、一時は柯文哲・郭台銘の総統・副総統ペアで総統選を戦うという噂も流れた。

それが、今さら国民党の総統候補の指名を得ようと名乗りを上げたのだから、生粋の国民党員は納得するわけがない。国民党主席の朱立倫は「厳粛に科学的データや、各県市の立法委員の推薦の意見を見て、国民党総統候補として新北市長の侯友宜を招請することを宣言する」とした。

朱立倫は「侯友宜は犯罪から町を守ってきた英雄であり、8万の警察官を率いる警政署長を務めたこともあり、400万新北市民のために13年間勤め、施政満足度最高の市長でもある。侯市長は正義の化身であるだけでなく、人民の公僕であり、さらに大事なのはマクロ的な展望をもつ指導力と協調力を備え、堅強な意思もあり、さらに温かい愛情ももつことだ」と紹介。

侯友宜はこれを受けて挨拶し、「現段階で、国際情勢は戦争の危機、国内は衝突や対立があり、（現政権は）時間を無駄にしている。若者たちにそんな未来を見せず、新しい風を起こさねばならない」と強調した。また3度「もう一度政権を変えよう」と叫び、そうしてこそ国家を救い、台湾を救うことができるとした。そして「立候補する以上は必ず勝ちます。立候補して国家を団結させ、人民に希望を与えたい」と訴えた。

侯友宜は台湾語で話し、「中華民国を守り、澎湖（ほうこ）、金門、馬祖の人民を愛することは一生に唯一の信念で、永遠に変わらない」「中華民国は我らが国家、台湾は我らが家だ」と訴えた。

## ◆「はぐれ刑事純情派」侯友宜への信頼

侯友宜は1957年6月、嘉義県生まれの66歳。台北市警察局刑事警察大隊長や桃園県政府警察局長、内政部警政署刑事警察局長、内政部警政署長、中央警察大学校長など警察官僚として優秀な経歴をもつ。

国民党エリート政治家の朱立倫が新北市長時代に、侯の政治家、実務家としてのポテンシャルを見出した。2010年に新北市副市長に抜擢。2018年に新北市長選に出馬し、当選。2022年11月の地方選挙では、最も高い得票率で新北市長に再選。

父親は国民党革命軍人で、第二次国共内戦に参戦したのち、退役して小さな飲食屋台（豚肉

国民党の侯友宜・総統候補（写真提供：時事、提供元：国民党）

飯）を営んでいた。４人兄弟姉妹の３番目、兄は外科の名医で、高雄医学大学付属中和記念医院院長や小港医院院長を務めたこともある。

成績優秀な侯友宜は、国防医学院、高雄師範学院、中央警官学校を同時に受験、家族は医師になってほしかったようだが、『十大名探偵』という本で紹介されていた刑事に憧れていたこと、大学に行ってからの勉強が警官学校のほうが楽ではないかと考えたことから、警官学校を選んだという。刑事警察部を卒業し、刑事局に就職。その後、中央警察大学犯罪防治研究所に進学、２００５年には博士号学位を取っている。

かつて刑事として、凶悪犯罪に挑んでき

た。とくに1980年代、90年代の台湾の治安が最も荒れ、台湾マフィアの竹聯幇がわが物顔でのさばっていた時代、凶悪犯罪、暴力犯罪が吹き荒れていた時代にマフィアやヤクザの幹部を次々逮捕。

絶対口を割らないといわれた竹聯幇幹部を情で落として改心させ、供述を引き出すなど、取り調べのテクニックが優れていることでも知られている。イメージでいえば、「はぐれ刑事純情派」か。

当時の台湾の刑事犯罪は、誘拐殺人、ビル爆破、銃撃戦とテレビドラマ張りの激しい事件が多く、そういう事件に命懸けで果敢に立ち向かってきた刑事としてのイメージから、庶民の人気はとても高い。陳水扁総統が2004年、民進党総統候補として選挙運動中に狙撃された319銃撃事件の捜査にも参加しており、党派を超えて信頼を得ていた。また、国民党政治家にありがちな汚職の噂もほとんどない。

警政署長に上り詰めたのは陳水扁政権・蘇貞昌（そていしょう）内閣時代で、このとき50歳にも満たない若い署長の抜擢としてニュースになった。警察官僚になっても、メディアは侯刑事の愛称で呼んでいた。

## ◆外交センスのなさ

今の国民党が総統選で勝ち筋のある候補といえば、実際、侯友宜しかいない。だが、侯友宜の出馬決定がかくも遅れたのは、侯友宜自身に自信がなく、躊躇があったのだろう。

その理由の一つは、新北市長に２０２２年11月に再選したばかりで、総統候補に出馬することは新北市有権者の負託を無下（むげ）にすることになりかねず、政治家として不誠実だと批判される可能性があったことだ。台湾民意基金会が２０２３年３月半ばに公表した民意調査では、54％の回答者が、侯友宜が新北市長に再選したばかりなのに総統選に参戦することに同意していない。

だが何よりも、侯友宜には内政実務しか経験がなく、外交の実力に欠けていた。少なくとも、新北市長再選後に最初に行った外遊先がシンガポール（4月19～22日）だったとき、国内外の識者たちは侯友宜には外交センスがない、あるいは外交上のアドバイスができるブレーンがいない、という印象をもったことだろう。

侯友宜はこのときはまだ総統選国民党候補として出馬する意思を示していなかったものの、国民党内で最も出馬の可能性がある以上は、外交経験がないというマイナスイメージを払拭するような外交パフォーマンスを見せる必要があった。

そのためにいちばん理想的なのは、台湾の選挙に最も影響力をもつ米国を訪問し、官僚や政界に影響のある学者、識者たちと接触を図り、メディアのインタビューを受けて米国世論における知名度を高める必要があった。でなければ、少なくとも米国の同盟国である日本を初外遊先に選ぶべきだった。それができないなら、完全に親中派票へのアピールに振り切って中国訪問を選択するべきであった、というのが一般的な考えだろう。

侯友宜が初外遊先としてシンガポールを選んだのは、シンガポールに知り合いがいて行きやすかった、というほかに理由は見当たらず、外交戦略的な狙いは見えなかった。また、シンガポールでもろくに要人とも会わず、外国メディアからの取材も受けていない。実際、シンガポール外遊の成果といえるものはなかった。この本人の外交センスのなさ、そしてそれを補う外交ブレーンの不在がその後、侯友宜の出馬が決定したのち人気と期待がしぼんでゆく一つの要素になったと思う。

## 柯文哲はみっちり米国に根回し

ちなみに、この侯友宜の外交センスのなさと比較されるのが、民衆党候補として総統選に出馬する柯文哲の動きだ。柯文哲は２０２３年4月8日からみっちり3週間にわたって米国を訪問、在米台湾人に根回しし、バイデン政権の官僚への接触を図り、戦略国際問題研究所（ＣＳＩＳ）で演説し、ハドソン研究所を訪れて、元国務長官のマイク・ポンペオとも会談している。

このとき、柯文哲は徴兵制延長などについて意見交換し、徴兵制については訓練の内容が重要であり、中国の台湾武力攻撃を予見するために、心理的・文化的な「準備」が必要といった対中政策への考えを披露していた。

また柯文哲はワシントンで、台北経済文化代表処（ＴＥＣＲＯ）駐米代表の蕭美琴（しょうびきん）とクローズドで2時間半も会談。米国人の母をもつ蕭美琴は民進党きっての米国通であり、安全保障の専門家だ。頼清徳総統候補と一緒に副総統候補として出馬する可能性が、鄭麗君（ていれいくん）（元文化部長）とともに取り沙汰されている。

柯文哲は２０１４年の台湾市長選挙で民進党の支援を受けながら、当選後は「両岸一家親」に賛同し、親中派の立場を見せたので、民進党支持者からは裏切り者扱いされている。だが民進党の個別の政治家、官僚とのパイプはあるということだ。おそらくは、総統に当選したのちの連立政権も視野に入れて、蕭美琴らにもアプローチしているのではないか。

柯文哲は訪米後の記者会見で、「会うべき人には全員会った。米中対抗の状況の下、台湾にとっての米国の重要性は増大している。米国を知ることが非常に重要で、米国の行政部門、議会を回ってきた。とくに行政部門の官僚たちは、台湾と台湾情勢に対する考え、彼らのボトムライン、要求について非常に明確に、クリアカットに話した」とその成果を語っていた。

そして、米国にとって中国が最大の脅威であり、米国はどうすれば台湾海峡戦争のリスクを引き下げられるかを考えており、柯文哲の「中国との対話再開」の主張に対して、米国は決して反対ではない、という考えを示した。

さらに米国側に、「国民党の動きが台湾海峡の緊張緩和に役立つか」という問題について尋ねたとき、米国はそれを否定していた、と語った。柯文哲は「与野党がそれぞれ勝手なことをするのではなく、台湾内部で協調することを米国は望んでいる」と語っていた。

## たんなる親中派ではない

米メディアのボイス・オブ・アメリカ(VOA)のインタビューに、柯文哲は自分の中国に対する立場について「ブリンケン国務長官と似ている」と語っている。

「4月に蔡英文が訪米(トランジット外交)し、それに対抗するように馬英九が訪中した件については、米国から見れば国家を分断する行為だ。……だから私は彼ら(米国官僚)に、国内にコンセンサスが必要だ、今のコンセンサスがあってはじめて対外関係をうまく処理できる、と伝えた」「米国は台湾全体の関係を重視しており、台湾内部の各政党に干渉はしていない。……台湾の執政党が誰であれ、米国にとっては一緒だ。……私の中国に対する立場はブリンケン国務長官と同じで、協力できるところは協力し、競争できるところは競争し、対抗しなければいけないところは対抗する。我々台湾の中国への態度はこうでなければ」

ちなみに、柯文哲は6月4~8日には日本を訪問し、自民党の台湾通の衆議院議員の古屋圭司氏らと会談したほか、早稲田大学で講演を行い、日本の政界、世論へのアプローチも抜かりない。

2023年7月段階の柯文哲はたんなる親中派というだけでなく、米国や日本へのパイプも強化し、「親米友中靠日（こうにち）」「強国等距離」といったスローガンを実現するための布石はしっかりと打っている。柯文哲は2018年に台北市長再選を果たしたのち、総統選出馬を視野に入れて民衆党を設立。2022年11月の統一地方選挙での民衆党善戦の勢いを借りて早々に出馬の意思を示し、5月8日に出馬届を出した。つまり数年前から、自ら総統を目指して周到な準備をしてきたのだ。

台北市長としての行政の実務経験に加え、こうしたプラグマティックな広い外交的視野を打ち出したことで、米国か中国かの二者択一を迫るような民進党vs国民党の既存政党選挙にうんざりしているノンポリ中間層の票を、一手に引き付ける可能性が出てきた。

こうなると、国民党候補の侯友宜の存在感は完全に柯文哲に食われてしまい、すでに民進党・頼清徳候補の対抗馬は柯文哲である、という印象すら広まっている。実際、2023年7月時点の民意調査では、おおむね頼清徳が支持率3割前後で一歩リード、柯文哲が追随し、大きく水をあけられて侯友宜が追うかたちになっている。

## 曖昧な侯友宜の対中ロジック

2024年1月の総統選挙が民進党・国民党・民衆党候補の三つ巴戦となることはすでにはっきりしているが、仮にこのまま国民党のポジションが、民進党候補と互角に戦うどころか、第三の新党民衆党の柯文哲候補にすら、その存在感が遠く及ばないようになるとすれば、国民党の存在意義が大きく問われることになる。

国民党の問題は、党政策綱領に盛り込まれている中華民国憲法遵守、台湾独立反対、一国二制度反対、中華民国の主権と自由主義体制の防衛、92年コンセンサスと「一中各表」の実務基礎の上の両岸の繁栄という主張だろう。とくに中華民国憲法の示す領土の範囲や、92年コンセンサス、「一中各表」などが、台湾や国際社会の現実とかけ離れているフィクションであることは誰の目にも明らかだ。

侯友宜はこれまでの国民党候補と違い、一国二制度に反対の立場を示しているが、92年コンセンサスについて「中華民国憲法下の92年コンセンサス支持」という言い回しで肯定した。習近平政権が任期内に「一中原則」「一国二制度」による両岸統一を軍事的恫喝をもって迫ったときに、どのようなロジックで、どのような外交力をもって抵抗していくのかは今のところ曖昧なままだ。

共産党との内戦で敗北して台湾に逃げてきた亡命政権という位置付けだった中華民国政府は、蔣経国、李登輝時代に進められた政治の台湾化を経て、台湾に仮住まいの亡命政権から、台湾有権者によって選挙で選ばれた台湾を代表する主権国家の政府となった。

中華民国の名前も憲法もそのままだが、すでに「大陸反攻」の夢はファンタジーとなり、中華人民共和国と台湾、中華民国が同じ国であると考える人は、少なくとも台湾有権者の中にはほとんど存在しない。「一つの中国」を認め、独立にも一国二制度に反対する、ということは、究極的には「大陸が中華民国になる」か「中華民国が中華人民共和国に併合される」かしか選択肢がないが、それらがいずれも「ありえない」選択肢であるならば、台湾二大政党の片方の国民党として、その存在意義を改めて再構築する必要があろう。

とりあえず民進党政権に反対するだけの反対野党であれば、その存在意義は、親中派でかつ米国とのパイプもつくっている柯文哲率いる民衆党にとって代わられるだろう。

## 馬英九訪中で明らかになった国民党の斜陽

国民党内部が抱える矛盾を内外にいっそう明らかにした出来事が、2023年春にあった。国民党の元主席で元総統の馬英九が2023年3月末から4月7日にかけて、国共内戦で敗北後、総統経験者としては初めて中国を訪問したのだ。建前は湖南省湘潭（しょうたん）にある祖先の墓参りだが、本人はおそらく、同じタイミングで米国でトランジット外交を展開した蔡英文総統の向こうを張って、中台関係の架け橋としての役割を印象付けるつもりであったのだろう。

だが、その思惑は無残に外れた。

馬英九の訪中前は、台湾紙『聯合報（れんごうほう）』などが、上海浦東（プードン）空港では赤い絨毯がタラップ前に敷かれ、党序列6位の政治局常務委員の丁薛祥（ていせつしょう）が出迎えるだろうなどと、中国側は国家元首待遇を用意していると報じていた。

しかし、実際に馬英九到着の様子を報じたシンガポール華字紙『聯合早報』によれば、赤い絨毯は敷かれておらず、出迎える側も国務院台湾事務弁公室副主任の陳元豊がいちばん職位の高い人物だった。馬英九の到着を伝える新華社報道はわずか97字のニュースで、馬英九については国民党元主席とも何らの肩書もつけず、呼び捨てだった。また台湾メディアを含めて、メディアの馬英九に対する呼びかけは「馬先生」と一般人呼びすることが事前に言い含められていた、という。

馬英九は中国の待遇に十分満足している、と答えていたそうだが、内心はかなりショックだったのではないだろうか。なぜなら、国共内戦末期に一時的に総統代理を務めた李宗仁(りそうじん)が1965年に中国本土の土を踏んだときは、周恩来首相が出迎えて、当時の中国メディアもその熱狂を一面で報じていたのだから。8年正式に総統を務めた自分よりも、瞬間風速的に代理総統になり、結局は米国に亡命した李宗仁のほうが熱烈歓迎されるとはいかに、と。

李宗仁は1949年1月、蔣介石が国共内戦の責任をとって辞任したのちの一時期、代理総統を務め、共産党との和平交渉を開始したが、決裂。首都南京が陥落すると香港経由で米国に亡命した人物である。周恩来は李宗仁に全人代常務委員会副委員長の職位を用意するとして、中国への永久帰国を誘い、李宗仁はこれに応じて1965年、故国の土を踏んだ。

だが結局、年齢が高いということで全人代副委員長ポストは与えられなかった。警備付きの家屋敷と若い女性を妻にあてがわれ、晩年を北京で過ごした。このエピソードから、李宗仁は中共に騙された憐れな老政治家のイメージがついているが、馬英九の扱いはそれよりも低かったわけだ。

馬英九は8年も総統を務め、しかも習近平のためにサービス貿易協定に大急ぎで調印し、そのせいで台湾ひまわり学生運動が起き、売国奴呼ばわりされ、国民党は与党の座を失った。さらに2015年11月に、シンガポールで台湾総統として初めて中国国家主席の習近平と中台首脳会談を果たし、習近平とは顔見知りのはず。そう考えればかなりの冷遇である。今回の訪中では北京に立ち寄らせてももらえなかった。

## 賞味期限切れの人物と政党

馬英九は3月30日、武漢で中国国務院台湾事務弁公室主任の宋濤と面会したときに92年コンセンサスに言及し、「1992年11月16日、中国の海峡両岸協会と台湾の海峡交流基金会という両岸関係問題の窓口で、それぞれ各自が口頭で表現する方式で、両岸はともに一つの中国であるという原則のコンセンサスに至り、これは両岸が交流し続けることができるという共同の政治基礎となった」と説明。

そして4月1日、湖南省湘潭の馬家の墓参りを済ませたあとの会見では、馬英九は「民国97年と101年の2回、中華民国総統に当選した」と自己紹介した。あえて民国年号を使用し、また中国語で大統領に相当する「総統」という言葉を使った。

また、2日の湖南大学での講演で両岸政治について語るときに、「憲法」に言及し、中華民国憲法においては台湾地区も大陸地区も「ともに我々中華民国に属する」と語り、憲法解説を用いて、学生たちに中華民国の存在の現実を説明した。

馬英九はまた民進党を批判的に語り、とくに現在の行政院長の陳建仁を酷評。また大陸がすでに92年コンセンサスで定義している「一つの中国、一国二制度」について、台湾人は受け入れられないと話した。

馬英九は、2015年のシンガポールでの習近平との会談で口にできなかった「一中各表」を実践し、大陸を中華民国だとようやくここで語ったのだ。

だが、この湖南大学における馬英九の講演は、中国当局の命令によって厳密に出席者を選抜され、中国の審査にパスした32人の中国人大学生と、馬英九に随行した台湾人大学生ら28人、合わせて60人ほどしか聴衆がいない、とても寂しいものだった。講演当日および翌日午前中いっぱい、大学キャンパス内の学生および教職員ら全員ともに宿舎の部屋から外に出てはならない、という通達があったという。

馬英九の発言は、蔣介石時代の遺物のような思想がもとになっており、今やこれは完全なファンタジーとなって、まったく説得力をもっていない。馬英九が、この古い国民党の考えに基づく両岸関係を語ると、随行した台湾学生たちは大喝采だったが、共産党に選出されて出席した中国人学生は、居心地の悪そうな薄笑い顔をしながら、黙って拍手だけしていたという。

中国にとってはうれしくない発言であろうが、馬英九はもはや、国民党内にも台湾世論にも国際社会にも、何ら影響力がない賞味期限切れの人物だった。いや、国民党自体が、今の党の政策綱領を維持しているだけであれば、賞味期限切れの政党ということを露呈してしまったといえる。

## 92年コンセンサスと国名・憲法の矛盾

ちなみに、台湾の蔡英文政権の大陸委員会は「台湾を歪曲化しているだけでなく、台湾はかつて中華人民共和国に属したことがないという事実と乖離(かいり)し、国家の主権尊厳を傷つけた」「台湾民衆の認知に背き、きわめて遺憾」と大批判した。

これに対し、馬英九は「大陸委員会の主張は公然とした二国論であり、憲法違反だ。それは、蔡英文政権の公式の立場なのか？　だったら大陸委員会は撤廃し、中国大陸は別の国だと公開の場で宣言せよ」と反論した。

だが、蔡英文総統も、同じ時期に中米友好国のグアテマラを訪問したとき、グアテマラのアレハンドロ・ジャマティ大統領から「中華民国・台湾こそが、我々にとって唯一にして本物の中国」と語られてしまう。馬英九には反論できた蔡英文も、友好国大統領には反論できなかった。馬英九の発言と、グアテマラ大統領の「本物の中国」という発言は、ともに一中各表を実践し、92年コンセンサスを具体的に行なったものだ。蔡英文政権の台湾当局はまさに今、各国に政治、外交、経済貿易上の「二重（台湾、中国）承認」を働き掛けているのだが、国名も中華民国で、憲法も修正されていない以上、この「一つの中国」という虚構を間違いだとは言えない。

92年コンセンサスの矛盾、国名・憲法の矛盾は、遅かれ早かれ中華民国・台湾とその有権者、そして国民党が向き合わねばならないテーマだろう。とくに国民党にとっては、台湾民主の二大政党の一つとして、有権者が真剣に選択肢として検討できる政策綱領を掲げる政党として存続できるか、あるいは歴史的使命を終えたものとして衰退の道を行くか、２０２４年の総統選を戦う中で答えを見つけなければ、おそらくは勝てない。

そして、台湾の次の政権がこの矛盾に明確に答えを出したとき、台湾の国家としての国際社会の再デビューが叶(かな)うのだと思う。

## ドミノ式に減少する台湾国家承認国

蔡英文政権になって、中国の法外なチャイナマネーを使った外交戦によってドミノ式に友好国を失った蔡英文だが、国際社会における存在感はこれまでにないほど強くなった。

蔡英文政権がスタートした当時、正式に外交を結んでいた国は22カ国（キリバス、マーシャル、ナウル、パラオ、ソロモン諸島、ツバル、バチカン市国、ブルキナファソ、サントメ・プリンシペ、スワジランド＝エスワティニ、ベリーズ、ドミニカ、エルサルバドル、グアテマラ、ハイチ、ホンジュラス、ニカラグア、パナマ、パラグアイ、セントクリストファー・ネイビス、セントルシア、セントビンセント・グレナディーン）だった。

それが、次々と中国の外交圧力によって台湾と断交していき、２０２３年3月26日にホンジュラスが台湾と断交して中国と国交樹立。これでついに、台湾を正式に国家承認している国は13カ国（ツバル、マーシャル、パラオ、ナウル、バチカン市国、グアテマラ、パラグアイ、ハイチ、ベリーズ、セントビンセント・グレナディーン、セントクリストファー・ネイビス、セントルシア、エスワティニ）になった。

簡単に振り返ると、２０１６年12月にサントメ・プリンシペ、２０１７年６月にパナマ、２０１８年５月にドミニカ共和国、ブルキナファソ、同年８月にエルサルバドル、２０１９年９月にソロモン諸島、キリバス、２０２１年12月にニカラグアと断交している。このうちソロモン諸島の断交は、ソロモン諸島を二分する悪影響を与え、南太平洋の安全保障全体を揺るがす問題となったので、のちに改めて触れよう。

## 大きくなる米国の庇護

だが、こうした中国の外交圧力に比例して、米国との関係は如実に深まっていった。

２０１８年３月に台湾旅行法が成立し、米台間の台湾高官の往来が解禁となった。１９７９年の台湾断交以来、米国は高官の相互訪問を自主規制してきたが、トランプ政権はこの制限を取っ払った。

台湾旅行法の内容を簡単にまとめると、以下のようになる。
①米政府高官の台湾訪問、カウンターパートとの交流を認める。

②台湾政府高官の米国訪問、国務省および国防省を含む、米高官との会談を認める。
③台湾が米国に設立した機関の業務を認める。

さらに2018年度以降、米国の国防予算大枠を決める国防授権法で、米国と台湾の防衛協力を強化。台湾関係法と「六つの保証」をもとに、台湾の自衛力の改善に協力するとして、武器の供与や軍事演習への台湾軍の招請、軍・政府高官の交換プログラムの実施、米軍による台湾軍人の訓練支援、西太平洋における台湾海軍の合同演習、米海軍と台湾海軍の相互寄港、台湾への武器供与とメンテナンス供与などが盛り込まれてきた。

さらに台湾と断交する国が拡大するのを防ぐために、台湾と断交した国への経済支援を削減することを盛り込んだ台湾同盟国際保護強化イニシアチブ法（TAIPEI法）が2020年3月にトランプ大統領に署名され、発効。同年12月には、防衛装備売却常態化と台湾の国際組織参加支援を盛り込んだ2020年台湾保証法も署名された。

## 台湾を同盟国指名する内容も

2022年秋に米上院外交委員会で可決された台湾の防衛体制強化と国際的地位向上のため

の台湾政策法案については、中国は強く抵抗したが、2023年度の国防授権法に一部盛り込まれるかたちで施行された。2023年度の米国防予算は過去最大規模で、台湾防衛力向上のために5年間で最大100億ドルの支援を行うほか、2024年のリムパック（環太平洋合同演習）に台湾軍を招待するよう求められている。

ちなみに台湾政策法案には、台湾を同盟国指名する内容もあった。結局、同盟国指名の部分は削除された。また国防授権法に盛り込まれるにあたって台湾レジリエンス強化法と名称が変わり、「台湾に対して中国が顕著に敵対状況を（2021年12月比で）エスカレートさせた場合の金融制裁発動」の部分が棚上げされた。

2024年度の国防授権法案では、米国の国防地図で台湾を中国の領土に区画しない、という提案も盛り込まれ、2023年夏の段階で下院を通過した。

台湾における事実上の米国大使館にあたる米国在台湾協会（AIT）台北事務所は2018年6月、大規模改修され、竣工式には米国からロイス国務次官補が出席し、蔡英文総統とともにスピーチを行なった。このAIT新庁舎は巨大な要塞のようで、地下に兵器格納庫があると噂され、警備もじつは海兵隊だともいわれている。

米国と台湾の関係は、米中関係の政治基礎とされる3つの共同コミュニケ（1972年2月

28日の上海コミュニケ、1979年1月1日の外交関係樹立のコミュニケ、1982年8月17日の第二次上海コミュニケ）を補完するかたちで台湾関係法の「六つの保証」を基礎としているが、2018年以降の矢継ぎ早の立法によって、米台のパートナーシップ関係、とくに国防の面が急激に厚みを増したのだった。

## ◈蔡英文「トランジット」外交の意味

こうした流れをさらに決定付けたのが、台湾の蔡英文総統の2023年4月の米国トランジット外交だろう。蔡英文は3月29日から、米国を経由地にして中南米の友好国グアテマラとベリーズを訪問した。折しも中米国のホンジュラスが台湾と断交し、27日、中国との国交樹立を発表した。さらに国民党元総統の馬英九が、4月5日の清明節に合わせて中国本土への〝墓参り訪問〟を行なったことなども含め、2023年3月終わりから4月初旬の米中台の外交パフォーマンスは、国際社会から大いに注目される話題となった。

その山場が4月5日、蔡英文は中米友好国訪問を終えて帰途の経由地、米国・カリフォルニアに入り、ケビン・マッカーシー下院議長および17人の超党派議員と会談した。

1979年に米台が断交してから、台湾総統が下院議長に会うのは3度目であり、米国内での台湾総統の会談相手としては最高位の政治人物という意味で、歴史的な会談でもあった。会談は滞りなく行われ、蔡英文とマッカーシーは短い声明を出し、その後、マッカーシーらは記者会見も行なった。

会談でマッカーシーは蔡英文のことをプレジデントと呼び、「米台は双方の人民のために、共同で経済、自由、民主、平和、安定を促進していく方法を探し求めていけると楽観している」と語った。また会談後の声明で、「今日は超党派の会談であり、共和党と民主党が一致団結して、自由と約束と紐帯を象徴する地で、今日、総統と我々が一緒になってこの紐帯をより堅牢なものにした」と語った。

蔡英文は、米議会が米台関係をさらに強化するいろいろな法案を提出してくれたことに感謝し、その法案によって台湾は防衛能力を強化でき、台湾と米国の経済・貿易の連結も強化されたと述べた。

蔡英文は、会場となった図書館の名前にもなっているロナルド・レーガン元大統領の「平和を守るには自らが強大になる必要がある」という言葉を引用し、「私たち（米台）が団結したとき、私たちはもっと強大になる」と述べた。

さらに「台湾がインド太平洋で重要な役割を担っていることを認識した。台湾は頼りになるパートナー、地域の安定の礎(いしずえ)、善良なパワーとなる」と語り、米国を中心とする自由世界を共に守る一員であることを強調した。

マッカーシー側は会談後の記者会見で「アメリカは今後も台湾への武器売却を継続し、武器が速やかに台湾に届くようにしなければならない」と語っており、米国が台湾と今後軍事的に緊密化していく方向が米議会の総意であることを改めて強調した。

会談はクローズドで行われ、その詳細はわからないが、米台間の国防について多く話が及んだことは確かだろう。

3月26日、ホンジュラスが中国の札びら外交によろめいて台湾と断交したため、台湾と国交を結ぶ友好国はわずか13カ国になったが、蔡英文は「米国がそばにいてくれて感激だ」「彼ら(米超党派議員団)が揺らぐことなく台湾を支持してくれたので安心した。私たちは孤立もしていないし、孤独でもない」と自信を見せた。

蔡英文がグアテマラに行く途中にニューヨークに立ち寄ったときは、下院民主党トップのハキーム・ジェフリーズと会談していた。ジェフリーズはこのとき、「米国と台湾の共同の安全と経済利益について非常に実りある対話をした。我々は、民主と自由についてともに認識を共有した」と述べている。これは与野党ともに米議会は台湾支持で一致しているということであり、バイデン政権の思惑はどうであれ、米議会は台湾を守り、台湾とともにある、という姿勢を改めて強く打ち出したといえる。

## ◇「オフィシャルではない」と強調

この会談について、バイデン政権はそれなりに中国に配慮していたと思われる。マッカーシー下院議長の事務所は4月3日に「5日、マッカーシー下院議長はロナルド・レーガン図書館で台湾総統と両党会談を行う」と発表した。蔡英文と会うのは「両党会談」であり、国家・政府の政治行事ではない、ということだ。

米国家安全保障会議のジョン・カービー戦略広報担当調整官は、「蔡英文の訪問は個人的なものであり、オフィシャルではない」と強調しており、以前も同様のかたちで台湾総統が米国を訪問することは多々あったと説明し、中国をなだめようとした。

実際、蔡英文は総統になってから過去に6回米国でトランジットしており、今回で7回目なのだ。バイデン政権はあくまで「ビジット（訪問）」という言葉は使わず、「トランジット」という表現に徹してきた。

蔡英文とマッカーシーが米国で会うことにしたのも、マッカーシー率いる議員団が台北を訪問するよりも中国の怒りを買わないであろう、との考えからだといわれていた（マッカーシーは2022年夏、下院議長に選出された場合に台湾を訪問すると発言していた）。2022年8月のペロシ上院議長の訪台時のように、中国軍が台湾を封鎖するようなかたちで軍事演習を再び行なってもらいたくない、ということだ。

## 米台関係は一つのハードルを突破した

だが、そこまで配慮されていても中国側は激怒し、4月5日には空母「山東」に台湾南東部からバシー海峡を通過させ、福建省海事局は巡視船編隊を台湾海峡に展開した。さらに8日から3日にわたって、台湾を包囲する軍事演習を展開した。

この軍事演習は、2022年8月にペロシ下院議長（当時）が台湾を訪問した直後に行われたものと比べると、大陸からの弾道ミサイル演習がなかった分、抑制されたものだったという評価もあるが、空母が初めて参加した演習であり、軍事的意味は小さくなかった。

台湾総統府スポークスマンの林聿禅（りんいつぜん）は4月3日、「台湾と民主国家の交流は2300万人の台湾人民の権利であり、中国が口をはさむようなことではない」と語ったが、中国駐ロサンゼルス領事館は同日、「過去の教訓を無視して台湾カードを切った。『一つの中国』原則に深刻に違反し、中米両国の利益に合致しないだけでなく、14億人の中国人民の民族感情をきわめて大きく傷つけた」と声明を出した。

中国国務院台湾事務弁公室の朱鳳蓮(しゅほうれん)は、蔡英文が台湾を出発した3月29日に、「蔡英文の『トランジット』は空港やホテルで大人しく待機しているのではなく、様々な名目で米国官僚、議員と接触し、米台当局の交流を行い、外部の反中勢力と結託しようとしている」と批判し、「蔡英文がマッカーシーと接触することは『一つの中国』原則に違反し、中国の主権と領土の完全性を損なうことで、台湾海峡の平和安定を破壊する挑発である。中国は断固反対し、必要な措置を取り断固、反撃する」と脅したのだった。

なぜこんなにもぴりぴりして、この会談を阻止しようとしたのか。そして米国も国際社会も、なぜここまで注目しているのか。

この蔡英文・マッカーシー会談は、何と150社以上の国内外メディアが現場に詰めかけていた。会場周辺ではこの会談に反対する親中派が詰めかけ、会場となったレーガン図書館の頭上を威嚇するように親中派が「一つの中国」と書いた垂れ幕をつけたセスナを飛ばしていた。

これだけ注目を集める要因の一つには、台湾総統が米国内で米議会議長と会うということは初めてで、米台関係においては一つのハードルを突破した、という見方があったからだ。今後、台湾首脳の在米トランジット外交は常態化し、会談相手もさらにレベルアップしていく可能性がある。

さらにいえば、会談は2024年1月に予定されている台湾総統選への米国の影響を見極める一つのバロメーターだった。

結果からいえば、バイデン政権の真意はともかく、米議会は完全に台湾に肩入れして揺るぎないことは、民進党政権にとってポジティブな影響を与えた。米国が台湾を軍事的パートナーとして重視していること、それを蔡英文が積極的に好意的に受け取ってみせたことは、当時、台湾内に首をもたげはじめた「疑米論」に、少なくとも与党が迷わされていないという印象を米国に与え、与党支持者にも中国の軍事恫喝に米国とともに対抗していく姿勢に揺らぎがないことを印象付けた。

## ◈2024年総統選の争点――「疑米論」vs「倚米論」

蔡英文が4月のタイミングで、見事なトランジット外交を演じてみせたのは、台湾の対米世論が二分化されてきたことへの対応でもあった、と私は見ている。

2023年2月ごろから、米国に依存しきっていいのか、米国は頼りになるのか、という

「疑米論」が持ち上がった。台湾と米国の距離感は、台湾と中国の距離感以上に２０２４年台湾総統選の一つの大きな争点となるだろう。

蔡英文・民進党政権は国防・安全保障において、米国と完全に歩調をそろえ、米国に従う「倚米（いべい）（米国に頼る）路線」を打ち出している。一方、国民党候補の侯友宜は出馬宣言前の1月の元旦挨拶で「我々は強国のゲームの駒にならない」と発言し、この強国とは米国を指しているのだろう、と推測された。侯友宜は中華民国憲法下の92年コンセンサス支持者であり、蔡英文政権が２０２４年から1年に延長するとした義務徴兵期間を現行の4カ月に戻す、といったこともすでに公約として言明しているので、その立場は「疑米論」あるいは、少なくとも他の二候補よりは米国と距離を取ろうとする立場を打ち出している。米国との距離感が総統選の最大争点の一つとなる、ということはすでに繰り返し述べている通り。

疑米論と一口にいっても、疑念のポイントは複数存在する。いちばんの懸念は、２０２２年に中国の台湾に対する武力統一脅威がいっそう明らかになったことを受けて、同年7月、元米国防長官のマーク・エスパーが台湾を訪問し、蔡英文総統に直接、「台湾は国防予算を大幅に増額し、徴兵制を延長する討議を通じて予備役と動員能力を増強すべきだ」と露骨に要求したこと。台湾有権者、識者に、米国が台湾を中国との代理戦争の駒に使うのではないか、米国に追従し続けると、台湾で戦争が起きるのではないか、という疑念を強くさせた。

エスパーはこの会談後の記者会見で、台湾国防予算を2倍、つまり当時のＧＤＰ比１・６％の国防費を３・２％まで上げるべき、あるいはイスラエル並みの５％まで上げるべきだ、と具体的な数字に言及、また徴兵制も当時の18歳以上の男子４カ月の義務兵役を男女とも1年以上にする「全民皆兵」制度にすべきだ、とまで言ったので、親米派の人たちも、あまりに露骨な干渉ではないかと鼻白んだ。

だが、蔡英文・民進党政権はこの要求に従い、粛々と国防予算を引き上げ、米国から武器を買い、そして徴兵制も２０２４年1月から18歳以上の男子1年に延長することとした。これが今後、女子にも及ぶか、あるいは2年に延長されるという見立てもある。

当時、米軍部は早ければ２０２５年あるいは２０２７年にも解放軍による台湾侵攻作戦があるやもしれない、という見方を公の場で語っており、蔡英文政権としては、米国に言われなくても国防増強は必要であるとの判断であったろう。また、米国の支援がなければ、中国が攻めてきたら瞬殺されてしまう。蔡英文・民進党は米国との関係強化によって台湾海峡の安定安全を守る、という方向性を強固にしていった。これは野党側から「倚米論」と揶揄（やゆ）された。

野党・国民党や第三党の民衆党は米国に追従しすぎず、米国と中国の間でバランスをとっていくべきだという立場だった。この米国と中国の間でバランスを取るという立場が、米国の言いなりになってはいけないという疑米論にいっそう傾くきっかけとなる事件が2つある。

一つは2023年2月8日、米国ジャーナリストのシーモア・ハーシュが自身のブログに匿名情報として「ノルド・ストリームの破壊工作は米軍の仕業である」（米国当局は全面否定）と報じたこと。もう一つは2月から3月にかけて米ジャーナリスト、ガーランド・ニクソンや元国家安全保障問題担当大統領補佐官のロバート・オブライエンが「米国は台湾に対して破壊工作を行う計画がある」「中国解放軍が台湾に上陸したら、米軍は半導体施設などを（中国の手に落ちないようにするために）破壊する作戦がある」と発言したことがある。

ノルド・ストリームの話から説明すると、ロシアから欧州に天然ガスを送る海底パイプラインで、ロシア北西部のヴィボルグからドイツ北東部のグライフスヴァルト近郊のルブミンまでのノルド・ストリーム1、同じくロシア北西部のウスチ・ルーガからルブミンまでのノルド・ストリーム2が2022年9月26日に破壊された。

ノルド・ストリーム2は2021年に竣工したばかりで、さあいよいよ稼働というところだったが、2022年2月、ロシアのウクライナ侵攻が始まり、これが国際法の原則である領土保全と国家主権の尊重に違反するということで、ドイツはその稼働に向けた承認作業を停止した。ノルド・ストリーム1は稼働していたが、欧州の対ロ制裁に反発し、欧州を兵糧攻めにするために、ガスの供給を削減、8月に「点検」という名目で、ガス供給を停止していた。

破壊によってEU（欧州連合）へのガス供給量がすぐさま影響を受けたわけではないが、多くの人たちがこれをEUへの攻撃だと考えた。同年11月になってスウェーデン検察当局が「破壊工作」と断定、爆発物の残留物や外国製の部品が確認されたことが明らかにされた。

では、誰の犯行であるか。最初は、ウクライナ側がロシア側のテロ攻撃だと主張していた。だが、ロシア側はパイプラインを破壊せずとも、ガス供給をストップすればEUに対する圧力に使えるし、破壊する合理的な理由がない。偽旗作戦説（攻撃手を偽る軍事作戦、この場合は米国やウクライナの仕業に見せかける作戦）もあったが、やがてその説は自然消滅していった。

そんな矢先の2023年2月8日、ピュリッツァー賞受賞歴もある老ジャーナリスト、シーモア・ハーシュが匿名政府内筋の話として、ノルド・ストリームの破壊工作は米海軍の特殊部隊が行なった作戦という説を自身のブログで投稿した。NATO（北大西洋条約機構）との合同軍事演習ＢＡＬＴＯＰＳ22を隠れ蓑にして、潜水士が遠隔操作の爆弾を設置したのだという。

この工作は２０２１年12月、ジェイク・サリバン大統領補佐官（国家安保担当）が米軍合同参謀本部と中央情報局（ＣＩＡ）など当局者を招集した会議で決定された、という。

このあと、「デモクラシー・ナウ！」や『ニュー・レフト・レビュー』など米左派メディアがハーシュをインタビューし、さらに詳細が報じられた。ハーシュによれば、このニュースの「情報源」は、「この破壊工作がいっそうの危機を招くと反対した米政府内部の関係者たち」であり、バイデン政権の目的については、「戦況が厳しくなり、ドイツがウクライナへの支援を撤回しようとする決定を阻止できた」という戦術的利益を挙げた。

つまり冬が来れば、ドイツは国内世論の圧力を受けて、ウクライナ支援をやめてロシアからのガス供給を得ようとする可能性があり、それが当時のバイデン政権にとっていちばんの懸念であった。そういう選択をドイツが取れないように、ガスパイプラインそのものを破壊した、という。

## 「ネオコンによるウクライナ計画よりも大きな厄災」？

ハーシュの説について、米国当局は全面否定し、CIAはその後、3月ごろから一部メディアを通じて、破壊工作はポーランドに拠点を置く親ウクライナ過激派勢力の仕業であるという情報をリークし始めた。米軍の特殊部隊の仕業か、親ウクライナ過激派勢力の仕業か、いずれも、確たる証拠があるわけでもなく、第三者の仕業の可能性は残っている。

だが、海底70mに敷設されたパイプラインを50mにわたり完璧に破壊する仕事は、よほどのプロフェッショナルの技術、装備が必要だと考えると、降って湧いたようなポーランドの親ウクライナ勢力の仕事だというCIAのリークのほうが信じがたく、むしろハーシュの情報を打ち消す目的で流されたのだとして、より米軍犯行説を信じる人が増えた。

このハーシュの投じた「特ダネ」について、メインストリームメディアはFOXの名物キャスター、タッカー・カールソンが取り上げた以外は、ほとんど無視だった。

各国主要メディアもほとんど見向きもしなかったが、ロシア・ウクライナ戦争に自国の未来を重ねていた一部台湾人は恐怖した。つまり、米国が自分たちの利益のために、同盟国の財産であるノルド・ストリームまで隠密(おんみつ)裏に破壊したのであったら、台湾でも同じことをやるかもしれない、と考え始めた。

さらに2023年2月16日に、米国ジャーナリストのガーランド・ニクソンがホワイトハウス内部からのリークだとして、ツイッターに「ネオコンによるウクライナ計画よりも大きな厄災が発生する可能性は？と尋ねられて、バイデンは『台湾破壊計画だろう』（wait until you see our plan for the destruction of Taiwan）と答えた」と投じた。

その後、元国家安全保障問題担当大統領補佐官のロバート・オブラインが米ニュースサイト『セマフォー』のインタビュー（２０２３年3月13日）で、中国が台湾に侵攻した場合、米国は台湾の半導体工場を破壊するだろうと述べた。

記事によれば「同盟国は、これらの工場が中国の手に渡るのを決して許さないだろう」「台湾の半導体が中国の手に落ちれば、それは新たなＯＰＥＣになる」「中国が世界を支配することになる」と警告した。このとき、第2次世界大戦当時、フランスがナチス・ドイツに降伏した際、フランス艦隊がドイツの手に渡ることを懸念した英国がフランス艦隊を攻撃し、１０００人のフランス人兵士を死亡させた例なども述べて、ありうる作戦であることを説明したという。

こうした報道に対して、台湾外交部は「絶対にありえない」と全面否定し、米国への疑念、反米主義を広げようという記事の切り張りが、中国の台湾に対する認知戦争に加担するものだと、強く警戒を呼び掛けた。だが第二次大戦後から今に至るまでの米国政治史をよく知る人ならば、米国ならばやりかねない、ありうる、と思うだろう。

## 2023年台湾反戦声明工作チームの声明

こうした米国発の情報を受けて、2023年3月中旬に台湾国立政治大学メディア学院の郭力昕教授、馮建三(ひょうけんさん)教授、中央研究院の盧倩儀教授、国立陽明大学の傅大為・名誉教授らの学者・有識者が台湾反戦声明工作チームを立ち上げ、反戦声明を掲げた。この声明で訴える要求は4つ。

①ウクライナ和平。
②米国軍国主義と経済制裁の停止。
③国家予算を民政社会福祉及び温暖化ガス削減に投じ、戦争兵器に投じない。
④米中戦争はいらない、台湾は自主的に大国と友好と等距離を維持すること。

さらに「台湾のこの美しい土地を米中の戦場に貸し出してはならない」「米国覇権主義の子分になるのか」と訴えた。

これに続き、元歌手でタイヤル族の立法委員である親中派の高金素梅(こうきんそばい)が14日に立法院でロバート・オブライエンの言説を引き合いに出して、「米国がいろいろ米台関係を緊密化する動きをしているのは、台湾を操るつもりだ」と主張した。

## ◆中共の武力恫喝効果を強くする心理的影響

この騒動は様々な議論を引き起こした。民進党政権支持派の世論は、4人の学者たちや高金素梅を「中国が台湾に埋めた統一戦線の地雷だ」などと批判した。人気ブロガーの藍博士はフェイスブック上で「最近、高金素梅が議会で質問した内容は噴飯ものだ。彼女の主張は台湾に戦争準備を放棄しろ、というもので、米国は世界平和を挑発し危険に晒す悪人の親玉で、台湾は中国に対して善意を示すべきだ、という。

しかし高金素梅は2008年に北京五輪に参加して、『私たちは家族』と声高に歌い、2009年には当時の胡錦濤総書記と面会した。2019年は『両岸関係と民族復興座談会』に出席して全国政治協商会議主席の汪洋(おうよう)と会うなどの親中派として数えきれない振る舞いをしてきた」と、彼女が、中国の台湾に対する認知戦や世論誘導戦を仕掛けるための工作員だと言わんばかりの批判をした。

また、民進党の元副秘書長の林飛帆と民進党連江県党部主任委員の李問は共同で「疑米論が地域の安全を危うくする」というテーマで米国の国際政治誌『ナショナル・インタレスト』（3月15日）に署名投稿を行い、国民党が煽動する疑米論に対して反駁した。

林飛帆はフェイスブックを通じて、「疑米論」は中国の官製メディアが語るだけでなく、国民党の政治家もこれに加担し、台湾と米国の協力関係を戦争衝突に向かわせるものだと煽っており、完全に地域で進む中国共産党の軍事的脅威と挑発を無視している、と指摘。中共の武力恫喝効果をより強くする心理的影響がある、と批判した。

李問もフェイスブックで、米国懐疑論の主張は台湾と国際社会の長期的な友誼を破壊するもので、こうした挑戦に対し、台湾は慎重な対外政策を堅持し続け、民主国家との信頼関係を強化することが、地域の平和と安定を守るのだ、と訴えた。

そもそもオブライエンは親台湾派の安全保障専門家であり、あのトランプ政権の補佐官でもあった。彼の発言の真意を考えれば、中台統一ということになれば、米国が長年、台湾に提供した半導体技術も兵器も中国の手に落ちるわけであり、それは絶対米国として容認できない、という覚悟の上の最終手段としての台湾破壊計画の存在を明らかにしたのだろう。

言い換えれば、どんな手段をとっても解放軍の台湾上陸を阻止するという意味にもとれる。

だから、台湾も米国を裏切らないでくれ、腹をくってくれ、ということではないか。脅しといえば脅しだが、米国が台湾に対していかに重視しているかということの表れともいえる。

オブライエン自身はこの問題について、台湾メディアの取材を受けたとき、「世界で唯一、台湾を破壊したいと考えているのは中国だけであり、米国はその中国の侵略を力を尽くして必ず阻止するのだ」と答えていた。

## ジワジワ広がる「疑米論」

中国が認知戦で煽動し、国民党がそれに乗じて与党攻撃しているこの疑米論だが、民進党支持者の間には別の意味の疑米論がずっとある。

「米国は本当に台湾を助けるつもりがあるのだろうか」とか「バイデン政権は最終的には台湾よりも中国を選ぶのではないか」といった見方だ。

私が2022年秋に台湾の台北や屏東（へいとう）で20代や30代の青年たちと何度か討論したときは、やはり米国に対する不信感を口にする若者も多かった。「米国人が台湾のために血を流すとは考えられない」「日本人は、尖閣を守るために米国人が本当に命懸けで戦ってくれると信じているのか？」と、逆に聞かれた。私は「日本は、そう信じたいがために、米大統領が代わるたびに尖閣諸島が日米安保条約の適用範囲に入るか、確認して言質をとっているのだ」と返答した。

こうした「疑米論」がジワジワ広がり、台湾有権者の間でも、与党支持者の間でも、世論分断が起きかけている中で、蔡英文は4月に米国トランジット外交を展開し、米台関係がゆるぎないものであり、しかも軍事的協力がいっそう緊密化、加速化していくことを国内外に打ち出したわけだ。民進党は「倚米論」（米国に頼る）路線に改めてはっきりと舵を切った。

米議会が超党派で台湾への武器供与支持を打ち出し、台湾は米国と軍事的協力を強化することが台湾の平和に利する、中国に武力統一を思いとどまらせることになる、というロジックで「倚米論」の正しさを訴えたのだ。この民進党の外交路線を有権者が肯定するのか、反対するのかが、おそらく選挙の最大の争点の一つになるだろう。

国民党の侯友宜候補は2023年秋に訪米し、米国との距離を詰める方向に動く可能性はあるが、だとしても米国からはすでに侯友宜は「疑米論」者であり、米国に利用されまいと警戒心をもっている人物と見なされている。対米根回しをしっかりやっている柯文哲と比較しても、米国から最も好意をもたれていない候補者といえる。

なので、国民党は台湾有権者のうちの「疑米派」世論の票を一身に取りまとめるかたちで選挙運動を推進するのではないか。おそらく、米国に追随しすぎれば台湾やアジアが戦争に巻き込まれる、という論法で与党候補を攻撃し、米国に対する距離感の違いで民衆党との立場の差を明確化する。だが、ならば米国に追随する代わりに中国の求める統一を受け入れるつもりなのか、というテーマにどう答えるかも問われてくる。

侯友宜も一国二制度反対の立場は明確にしているが、ならば「一つの中国」の矛盾を解消するアイデアを何か提示できるのか。また、一国二制度の和平統一の選択肢がないというなら、中国の取る道は武力統一しかないが、米国の信頼や応援なしで、どうやって中国の軍事圧力に抵抗するのかについて、より具体的で明確な方針を示す必要があるだろう。

そもそも国民党・蔣介石政権が長らく米国から軍事支援を受けて、米国の共産圏に対する戦闘指導の拠点となっていた歴史を振り返れば、どの口で民進党の米国追随を批判できるのか、ということも問われることになり、国民党の歴史と今後の存在意義がもう一度検討される総統選挙となるかもしれない。

## 「ＴＳＭＣがいるところに富が来る」

台湾で疑米論に火が付いたもう一つの背景は、台湾セミコンダクター・マニュファクチャリ

台南サイエンスパーク

ング・カンパニー（TSMC）の存在感をめぐる問題がある。

2022年9月初め、台湾・台南のサイエンスパーク（台南科学園区、通称・南科）を訪れる機会があった。ここは世界の半導体市場の7割を占めるというTSMCが目下、工場を拡大している拠点の一つで、ファブ（廠）18Bは3nm（ナノメートル）プロセス（N3）の生産基地となっているほか、ファブ18Aでは1・4nmの研究開発も進められており、拡張工事が続いていた。

どのくらいの規模感なのか、ちょっと見学してみようと思い立ち、駅で客待ちしていたタクシー運転手に目的を伝えると、そういう観光客が多いのだろう、広い敷地内を延々と

拡張工事中のＴＳＭＣ工場

車で走りながら、勝手知ったる様子で「あそこが3㎚生産基地になる」「あっちは5㎚だ」「南科は今にＴＳＭＣの牙城となるぞ」と、まるで自分の会社のように解説してくれた。

ＴＳＭＣといえば、北部・新竹のＧＤＰを一気に引き上げて台湾一の富豪タウンにした印象が強い。しかし、タクシー運転手は「台湾一の富豪タウンになるのは台南かもしれない」と語った。

「新竹は土地が少ないからねぇ」と、運転手は続けた。台南は電力がネックだが、幸い、日本とは異なり日差しが強烈で日照時間も長いため、太陽光も安定的な電力源として期待がもてる。必ず発展すると見込んで、今のうちに台湾中の金持ちが台南のマンションを買いあっているのだ、という。

何もない田舎町だと思っていた台南には、今やマンションが相次いで建設され、日本円にして数億円という高値で飛ぶように売れている。一見する限り、それほどしっかりした建築ではないようだし、交通の便も悪いが、誰もそんなことは気にしない。

「TSMCがいるところに富が来る」「富は富を呼び、さらに豊かになるだろう」「もし、2024年1月の総統選で民進党候補の頼清徳が当選すれば、彼の出身地である台南の都市開発がさらに加速することは間違いない」と、現地の人たちは口をそろえる。

## 半導体産業は台湾に「シリコンの盾」を与えた

TSMCは台湾の北部と中部、南部にバランスよく工場を拡大しているうえ、2025年には台中で2nmの先端ロジック半導体量産も開始する。将来的に構想している1nmの工場は、桃園の龍潭科学学園区に建設するらしい。台湾政府も、変電所や汚水下水処理施設の整備を準備しているという。さらに高雄にも、2024年から7nm/28nmプロセスの量産を開始する予定で工場を建設中だ。

コロナ禍の中でも台湾が比較的高いGDP成長率を維持できたのは、TSMCを中心とする

どこまで行ってもＴＳＭＣ

半導体産業のおかげであり、台湾海峡有事という中国の脅威から自らを守る最大の防衛力もまた半導体産業である、と考えている台湾人は多い。「産業のコメ」である半導体の世界市場を支えている台湾を戦火に晒せば、世界中のシステムが麻痺(まひ)するではないか。だからこそ世界は台湾を守ろうとするし、中国にしても、台湾の半導体産業に依存している構造がある以上、それを自ら破壊するようなことはするまい。つまり半導体産業は、台湾に「シリコンの盾」という最強の武器を与えたというわけだ。

## バイデン大統領による宣戦布告

その「シリコンの盾」のど真ん中に位置す

るＴＳＭＣが、２０２２年12月、米国アリゾナ州のフェニックスに一大生産拠点を設立した。第1期と第２期のプロジェクトを合わせて総額４００億ドルに上る大規模投資事業で、12月６日には第1期プロジェクトの工場設備の搬入式がバイデン米大統領の出席のもとで行われた。この工場では、５nmの半導体を２０２４年から月に2万個製造する。また、ほぼ同時に着工した第２期プロジェクトでは、２０２６年に３nmプロセスの生産に入る計画だという。

　バイデン大統領はこのときに「米国製造回帰」を宣言したのだが、これがじつに政治的な意味合いを帯びた「バイデン・ショー」ともいえる式典だった。ＴＳＭＣ創業者の張忠謀（モリス・チャン）や、会長の劉徳音（マーク・リュウ）をはじめ、ＴＳＭＣの大口顧客であるアップル社のティム・クック、ＡＭＤのＣＥＯの蘇姿豊（リサ・スー）、オランダの半導体製造装置メーカーであるＡＳＭＬのＣＥＯ、ピーター・ウィニクら業界の大物たちが顔をそろえ、「ハイテク・オリンピック」と形容するメディアもあったほどだ。もっとも、平和の祭典であるオリンピックにたとえるより、むしろ中国への半導体戦争の宣戦布告というほうが適切かもしれない。

　この米中半導体戦争は２０２２年、さらにステージを上げた。米国商務省は12月16日、長江ストレージ、カンブリコン、上海マイクロ電子装備、深圳の鵬芯微など36の中国ハイテク企業と研究開発機構を、商務省の貿易上の取引制限リストであるエンティティリストに入れると発表したのだ。

## 代替できない核心的な戦略物資

米国の中国半導体産業に対する制裁は、２０１５年４月にさかのぼる。当時、米国商務省は世界最大手の中央処理装置（ＣＰＵ、ＭＰＵ）および半導体素子のメーカーであるインテル（本社：カリフォルニア）が中国の国家スーパーコンピューター広州センターにＸｅｏｎチップを販売する申請を拒絶するとともに、国家スパコン長沙センター、広州センター、天津センター、および国防科技大学の４大著名スパコン研究機構をエンティティリストに入れ、半導体製品の提供を制限した。

２０１６年以降も、中芯国際やファーウェイなどのハイテク企業が相次いで米国のエンティティリストに入れられ、２０１８年末にはファーウェイのナンバー2である孟晩舟がカナダで逮捕される事件も起きた。

２０２０年末、中芯国際は再び中国の軍と関連する企業リストに入り、10㎚以下の技術ノードで使用される製品や技術は米国によって制限されることになった。エンティティリストに入れられた企業は、２０１６年の１４６企業から２０２２年3月31日までに４８３企業に増え、業種は半導体、５Ｇ通信、クラウドコンピューティング、顔認識、監視、通信、センサー、スパコン分野に及んだ。

２０２２年10月、米国はさらに28企業に対してテープアウト（完成した回路設計を磁気テープに保存して工場に出荷する過程）を制限したほか、長江ストレージなど31企業を未検証エンドユーザーリスト（ＵＶＬ）に入れるなど、高度な先進コンピューティングチップやスパコンに対して重点的に制限した。さらに制裁の対象は14㎚以下のロジック半導体、１２８層以上のＮＡＮＤ、18㎚以下のＤＲＡＭチップに拡大し、設備輸出が制限されたほか、米国人が許可証なしに関連の製造や研究開発などの活動に関わることも制限することによって、中国の製造能力を激しく圧迫した。

米国がここまで中国の半導体製造能力を抑え込もうとしている理由は、半導体が代替できない核心的な戦略物資であることに気付いたからにほかならない。もともと米国は技術的に圧倒的なリードを誇っていたが、半導体の大量生産・大量消費時代を迎え、米国企業が設計し、台湾、韓国、中国などアジア企業に製造を委託するという水平分業を進めた結果、半導体の世界市場における米国のシェアが12％にまで落ち込んだことに危機感を募らせた。

潜在的な半導体リスクに気付いた米国は、2022年8月9日、中国との競争を念頭に国内の産業競争力を強化する目的で議論が続けられてきた「CHIPSプラス科学法案」に署名。527億ドル（約6兆9870億円）の補助金を投じて、半導体企業の巨頭らに米中どちらのサイドにつくか選択を迫ることで半導体製造の国内回帰を推進し、サプライチェーンのコントロールを強化しようとした。

## 米国が台湾内の工場を守る必要性が薄まる？

こうした米国の動きに対抗すべく、中国は新たに1兆元（約19兆円）を投じて、半導体産業、とくに半導体設備製造方面の振興を図ろうとしている。目的は、半導体、とくに製造設備の国産化で、半導体企業に対する税制の優遇や、国産半導製造設備の購入に対する補助金制度の充実を進めている。中国の半導体業界内では、「米国の制裁によって一時的に相当な苦境に見舞われるものの、むしろ外圧によって国産化に向けたイノベーションが加速される」と前向きに評価する声もある。少なくとも、半導体サプライチェーンは米中それぞれを中心とした2つの陣営に分かれていく方向性であることは間違いない。

こうした中、TSMCはアリゾナに進出することによって、米国および西側自由社会に軸足を置くことを決意表明した。しかしこれについては、台湾の国益につながると歓迎する声ばかりではない。ＴＳＭＣの大顧客であった中国市場を失うというだけでなく、「シリコンの盾」としての機能が二重の意味で弱まることにもつながるからだ。

というのも、米国内に製造工場ができれば、米国が命懸けで台湾内の工場を守る必要性がそれだけ薄まる、ということになりかねないからだ。オブライエンが言及した台湾破壊計画と表裏一体の意味で、台湾内に世界の産業を支える半導体生産拠点があるからこそ、米国は命懸けで台湾を守る必要があったのだ。

また、台湾の半導体産業が米国陣営に立つことを選択したということは、今後、中国からの半導体受注依存度が低下していくことになり、中国が台湾を戦火に晒すことを躊躇していた一つの理由が消えることになる。これも表裏一体の意味で、中国がかくも台湾統一を急ぐのは、台湾に中国が必要とする半導体産業拠点と技術があるからだ、といえる。

台湾内の疑米派、すなわち米国を信用していない人たちの中には、80年代半ばに日本が半導体の供給で米国を抜き、一躍、世界一のシェアに躍り出たあと、米国から目の敵にされ、圧力をかけられて衰退していったのと同じ歴史が台湾で繰り返されるのではないか、と見る人もいる。

## ◆「シリコンの盾」から「軍事力による防衛」への転換

台湾財経評論家の陳鳳馨は、500人に上る台湾エンジニアが、台湾で働くより安い給与で米国の工場で働き始めることについて、「人材を根こそぎもっていかれる」「台湾の半導体産業は欧米に搾取され続ける」「かつての東芝と同じ轍(てつ)を踏む」「台湾は経済貿易保護主義の最大の被害者だ」と、批判を繰り返している。

これに対し、TSMC最高製造責任者の魏哲家(ぎてつか)は「問題ない」「何をしようと台湾半導体産業は倒されない」と反駁。台湾経済部も「米国で生産される先端ロジック半導体は全世界シェアのわずか2%にすぎず、大きな影響はない」としたうえで、「このような考え方は、中国の米台関係の離間策に利用されるだろう」と警告した。

台湾は国連を脱退し、ほとんどの国家と正式な国交を結ばずにきた「国際社会の孤児」であったが、代わりに民間企業がグローバル経済チェーンの要所要所に食い込み、台湾の安全を担保する役割を担ってきた。

だが、こうした戦略は、経済貿易のグローバル化が正しいというコンセンサスがあってこそ成立する。

フェニックス工場の設備搬入式で、張忠謀が「グローバル化や自由貿易は風前の灯(ともしび)であり、起死回生はおそらく無理だろう」と発言したことは、多くのメディアで注目された。これは、TSMCのアリゾナ進出が、半導体産業の逆グローバル化、すなわち米中で繰り広げられる半導体戦争のグローバル化の起点になるであろうことを意味しているのではないか。

であるならば、台湾の安全保障戦略も大きく変わっていかざるをえないだろう。すなわち、「シリコンの盾」ではなく、軍事力による防衛の時代に転換していくということであり、与党民進党政権が疑米論の台頭を抑え込んででも、米台軍事協力の加速に踏み切った理由なのだろう。

## 台湾に近づくNATO

米台関係の緊密化に伴って、米英欧の軍事同盟であるNATOも台湾に近づいている。NATOの前事務総長、デンマークのラスムセン元首相は2023年1月5日、台北市で記者会見し、中国が台湾に武力行使をした場合「NATOは台湾が必要とする軍事援助を行い、台湾が自衛できる能力を得られるよう対応する」と述べた。

共同通信によれば、ラスムセンは、台湾海峡で衝突が起きた場合には「NATOは（直接の）

当事者ではないが、具体的な対応を取る」と強調し、ロシアに侵攻されたウクライナに対して実施した軍事演習や軍事訓練は「非常に重要な手段だ」と述べた。

また「台湾と欧州の軍人はすでに協力している」と指摘し、欧州での合同軍事演習実施に期待を示した。また中国が武力行使した際には「重大で全面的な経済制裁を実施する」と強調。世界の経済に全面的に組み込まれている中国に「対価が重いことを知らしめ、中国指導部に（自らの行動を）熟考させる必要がある」と述べた、という。

この発言は、中国を十分に警戒させるものだった。だが中国にとってありがたいのは、NATOとしての意思はともかく、EUメンバー各国は中国経済にかなり依存しており、EU内で中国に対する距離感が必ずしも一致しているわけではない、ということだった。しかも、長引くロシア・ウクライナ戦争の影響で、厳しい経済状況の中、中国との経済関係をいっそう重視する国も少なくなかった。

## 地域の小国が大国の対立に巻き込まれる戦争

2022年2月にロシアが仕掛けたウクライナ戦争はすでに1年を超え、ひょっとすると3回目の冬を迎えるかもしれない、というEUの危機感を利用するかたちで、中国はロシアとウクライナの和平協議を斡旋できる影響力をもてるというそぶりを見せ始めた。

２０２２年２月に始まったロシアによるウクライナ侵攻は、台湾の安全保障と無関係のようでいて、深く関係している。ロシア・ウクライナ戦争の本質はロシアによるユーラシアの安全保障の枠組みの再構築を目指すものであり、台湾有事は中国によるアジア・太平洋の安全保障の再構築を目指すものだ。ともに地域の小国が大国の対立に巻き込まれるかたちの戦争ともいえる。ウクライナの場合はロシアvs米・ＮＡＴＯであり、台湾の場合は中国vs米国の対立がある。

ウクライナは一方的に侵略された被害者側であり、巻き込まれた側であり、台湾も中国から一方的に武力統一の危機に晒されている。だからロシア・ウクライナ戦争において台湾世論はウクライナに非常に同情的で、多くがウクライナ勝利を願っている。ウクライナはもともと親中的な国柄であり、ゼレンスキー大統領もかねては台湾は中国の一部という認識を示していたが、中国がロシア・プーチン体制寄りなのを見て、ウクライナ議会には台湾友好会派が発足している。

歴史的に過去に自国の領土であった（あるいは一方的に領土と見なしていた）という理由で武力侵攻し、占領して自国領土にしてしまうという行為が１度許されるならば、今後、２度、３

度と世界各地で同様の侵略を許してしまう可能性が高まる。侵略戦争の時代が幕を開けてしまうという意味でも、ロシア・ウクライナ戦争の決着の在り方が台湾の安全、そして世界の安全保障の枠組みに関わってくるという意味でも、ウクライナと台湾は遠く離れていてもつながっているのだ。

## 中国のウクライナ和平仲介は台湾有事への布石

そして、こうした戦争のテーマが本質的に国際社会、国際安全保障の枠組みの再構築であるとなると、まさにロシア、中国、そして米国とその同盟国による陣取り合戦的な意味合いがある。ロシア・ウクライナ戦争が碁盤の左上隅だとしたら、台湾有事は右下隅にあり、その2つの競り合いは異なる戦(いくさ)のようで、最終的にその布石はつながる可能性がある。

そして、ロシアがウクライナ戦争の疲弊によって大国の地位が保てない状況になったとき、米国に対峙するメインプレイヤーは当然、中国であり、中国は自分に有利なようにロシア・ウクライナ戦争を着地させようと、まさに考えているところだろう。

だから中国が2023年2月24日、ロシアとウクライナの和平協議を呼び掛ける提案を行なったのも不思議ではない。中国は「ウクライナ危機の政治的解決に関する中国の立場」と題した、12項目の和平協議に必要な条件を提示した。

①各国の主権・独立・領土の保全
②冷戦思考の放棄
③戦闘停止
④和平交渉の開始
⑤人道上の危機の解決
⑥民間人と捕虜の保護
⑦原子力発電所の安全の確保
⑧核兵器の不使用
⑨食糧の海外輸送を保障
⑩一方的制裁の停止
⑪産業チェーン・サプライチェーンの安定の確保
⑫戦後復興の推進

この12項目には、ウクライナが和平の前提として打ち出している10項目の核心であるロシア軍の占領地からの全面撤退が含まれておらず、②冷戦思考の放棄（NATOの東方拡大を暗に批判）、⑩一方的制裁の停止、というロシア寄りの立場に立ったものであった。

ただ、①各国の主権・独立・領土の保全と⑦原子力発電所の安全の確保、⑧核兵器の不使用についてはウクライナ側も評価しており、ここから中国が仲介力を発揮できるか、というのが国際社会の注目点だった。当初は米英欧とも、中国の仲介提案が現実的具体的なものではない、と批判的で、むしろ中国がロシアに武器など軍事的支援をすることを警戒し、牽制をかけていた。

## 国際社会のルールメーカーを狙う

ここで中国に一つの大きな追い風が起きる。2023年3月10日に北京で中国の仲介によって、2016年以降断交していたサウジアラビアとイランの外交関係回復が発表されたことだ。これで国際世論の空気が微妙に変わった。もちろん、サウジとイランのこじれた関係が本当に修復されるかは、今後の推移を注意深く見守る必要がある。だがとりあえず、米国が掻き乱し、安定させることができなかった中東において、中国がスンニ派とシーア派の争いの最大当事者の関係改善合意を発表させた意味は大きい。

折しも中国では、習近平が3期目の国家主席に選出される全人代（全国人民代表大会）が開催中で、第3期習近平体制は「新時代の大国平和外交」を強く打ち出していたが、この事実が説得力をもたせていた。仮に、サウジとイランの代理戦争的な側面のあったイエメンの内戦や、シリアとアラブの関係改善につながっていけば、習近平の功績は「平和の使者」としてノーベル平和賞にノミネートされてもおかしくないくらいだろう。

習近平は3月20日にロシアを訪問し、プーチン大統領と会見した。新華社によれば、ここでプーチンは中国側のウクライナ問題に関する客観公正な立場をポジティブに評価。双方は、国家あるいは国家集団が政治的優位性を求めて他国の安全・利益に損害を与えるあらゆる行動に反対すると、国連憲章の宗旨と原則遵守に基づく発言を行なった。

さらに、プーチンは和平協議を早急に再開するために力を尽くすと繰り返し述べ、中国側はこれを賞賛した。またプーチンは、中国側が政治外交ルートでウクライナ危機に積極的な影響力を発揮することを歓迎し、「ウクライナ危機の政治解決に関する中国の立場」文書に記された建設的主張を歓迎する、とした。

双方はウクライナ危機解決について、陣営の対抗を形成すること、火に油を注ぐようなことを阻止しなければならないと指摘。責任ある対話が問題を解決する最善の道であると強調した。このため、国際社会は解決に向けた建設的努力を支持するべきだとした。

さらに「情勢を緊張させ、戦争をずるずる引き延ばすような行いをいっさいやめさせよう」「危機が悪化してコントロール不能となるようなことを回避すべきだ」「国連安保理が権利を授けていない、いかなる一方的制裁にも反対する」などと、暗に米国が戦争の火に油を注いでいるようなニュアンスで訴えた。

習近平は会談後の共同記者会見で、中ロ関係について「両国関係はもはや二国間の範囲を大きく超え、世界の枠組みと人類の前途・運命にとって非常に重要なものになっている」「新たな歴史的条件のもと、双方が広い視野をもって、長期的な視点で中ロ関係を把握し、人類のために事業を進歩させ、さらなる貢献を行う」「上海協力機構（ＳＣＯ）と新興５カ国（ＢＲＩＣｓ）の協力の枠組み、Ｇ20などの国際的な多極的フレームワークの中での協力を強化し、ポストコロナの経済回復を促進し、多極的な世界の枠組みを構築し、グローバルガバナンス体系を整備する建設的パワーを強大化し、世界の食糧安全保障、エネルギー安全保障、産業チェーンの安定を守る面で多くの貢献をし、力を合わせて人類運命共同体の構築を推進していく」などと語って、あたかも中ロが今後の国際社会のルールメーカーになるかのような口ぶりだった。

## 親ロ外交を復活させた習近平

この会談の意義について、こうした新華社が伝える発言から私なりに解釈すると、習近平はプーチン擁護のスタンスをはっきりさせたことが一つある。

習近平が最終的に望んでいるのは、国際社会のフレームワークの再構築において習近平の中国が米国に代わる地位に立って、中国の価値観、秩序で国際社会を支配するルールメーカーになる、ということだ。そのために形成する中国朋友圏を一帯一路沿線に拡大していくのが習近平の青写真だが、それに対してロシアは、長年、中国と最も長い国境を接する隣国としてそれなりに警戒心をもって抵抗もしていた。だから、中ロ関係は「同盟を結ばず、対抗せず、第三者を標的にしない」という原則が維持されてきた。

だが習近平は、そうした中ロ緊張関係を蜜月に転換してきた。2022年2月、プーチンが訪中したとき、中ロは共同声明で「上限のない協力関係」を打ち出した。その後、ロシアとウクライナ戦争の泥沼化で、中国ではロシア専門の外務次官が左遷され、党内で習近平の親ロシア外交路線を阻止しようとする動きが出た。中国はロシア・ウクライナ戦争については、中立維持の立場をとってきた。

だが習近平が総書記、国家主席の3期連任に成功し、独裁化をさらに進める動きになったとき、習近平は親ロ外交を復活させたのだ。ロシアはすでに戦争で疲弊して大国の地位から転落し、中国は恐れる必要はない。むしろ、その命綱を握っている状況なのだ。全人代直後のロシア訪問の本当の意味は〝親ロ外交路線の復活表明〟と受け取っていいのではないか。

## ロシアを敗戦させないシナリオ

では、習近平はなぜ親ロ外交にそこまで固執するのか。一つの理由は、習近平がプーチンを個人的に好きだということがある、

ＣＣＴＶ（中国中央テレビ）が流した中ロ首脳会談直前の映像の中に、プーチンが習近平に「中国がうらやましい」と語った場面があった。なぜなら「中国は非常に効果的な政治体制システムを打ち立て、経済を発展させ、国家実力を増強させたからだ」という。

そのときのプーチンの老いてむくんだうつむき加減の顔と、習近平のうれしそうな顔は、なかなか印象深かった。プーチンは、ゴルバチョフによって崩壊寸前に陥ったロシアを立て直し、常に厳しい決断を迷いなく行なってきたという点で、習近平にとって憧れの政治家だったといわれている。ウクライナ戦争の戦況がこれだけ厳しくなっても西側にノーと言い続けるそ

の強さも、習近平がプーチンに好感を抱く理由であるという。

そのプーチンに「強い中国をつくった」と羨ましがられたのだから、習近平は自分のやり方に自信をもったことだろう。

もう一つが、ロシアの惨敗を何としても避けることが、中国習近平体制にとって重要だということだ。ロシアの惨めな敗戦はプーチン体制の崩壊を意味する。プーチン体制崩壊後に親米政権ができたりすると、中国としてはこれほど危ういことはない。

ロシアを敗戦させないシナリオは2つ。ウクライナにロシア・プーチンの面子を守るかたちで和平協議を調印させること、あるいは中国による本格的軍事支援によって戦況をロシア有利に逆転させたのちに、ウクライナに和平条件をのませること。

米国は2023年2月、中国が殺傷力を伴う支援をロシアに提供することを検討している、と警告していた。中国はそれを完全否定しているが、ロシアに武器供与をする選択肢が、習近平3期目再選とともに再検討されていたのは事実らしい。また、ウクライナ情報当局によれば、ロシアが使用する武器には中国製部品がかなり含まれているともいう。

中国がロシアにさらに武器供与をすれば、戦争はさらに長引き、ウクライナ側が絶体絶命の淵に追いやられる可能性がある。ウクライナにとっても中国の出方が生死を決するのだ。そういう意味では、中国はロシア、ウクライナ双方に対して生殺与奪の権を握っているともいえる。

米国がどういう意図をもって中国の対ロ武器供与情報を公表したかはさておき、中国がロシアに武器供与する可能性は、ウクライナを慌てさせたことだろう。これはウクライナの対中態度を硬化させる可能性もあるが、和平を急がせる理由にもなろう。

いずれにしろ、習近平のロシア・ウクライナ戦争の仲介役ができるそぶりを見せているのは、第一にプーチンの立場を守ること、第二に中国を「平和の使者」、米国を「戦争屋」にする国際イメージを浸透させること、そしてそのうえで台湾統一問題に関して中国に有利な国際環境をつくっていこう、ということだろう。

## 「大国平和外交」の真の目的とは

私個人は、習近平政権になってからのすさまじい言論統制、イデオロギー統制、人権弾圧、民族浄化、一帯一路を通じた中国式植民地化や南シナ海の島嶼に対する軍事基地化、香港の自由、民主の扼殺(やくさつ)などの振る舞いを見続けて、今さら平和外交を喧伝したところで、ブラックジョークにしか思えない。

だが一部の国家、一部の国際世論には、米国が好んで戦争を起こしていると疑う見方はある。たとえば、部族社会から生まれた権威主義体制の国家にとっては、米国式民主主義より中国やロシアの独裁体制のほうがなじみやすいし、米国式民主を絶対善として内政干渉してくることに反感をもつ。ロシアがウクライナに侵攻したのも、ウクライナのオレンジ革命やマイダン革命への米国の干渉が遠因だという見方もあり、またEUのロシアへのエネルギー依存を阻止するために、ロシアとウクライナ対立を煽ったのだ、という見方もあろう。

そこにノルド・ストリーム破壊工作の米軍犯行説などが投下されると、サウジアラビアなど中東国家は思い当たるフシもあり、軸足をより中国に移し始めるわけだ。これも、サウジとイランの中国仲介による和解が成立した背景の一つといわれている。

こうした疑米論は台湾内だけでなく今国際社会に拡大しており、それは米国と同盟関係を結ぶEU諸国にも広がっていると見ていい。

そういう状況も考え合わせると、中国の「大国平和外交」の真の目的は、ロシア・ウクライナ和平を使ってのEU・米国の離間工作やEU内の分断なども見越しているかもしれない。

## 習近平に籠絡された？　マクロン仏大統領

フランスのマクロン大統領が２０２３年４月に訪中した直後、フランスメディアに対して「最悪なのは、台湾の問題について、アメリカの歩調や中国の過剰な反応に合わせてヨーロッパの国々が追随しなければいけないと考えることだ」と答えた。欧米の主流メディアと国際世論からは、マクロンは習近平に籠絡されたのだ、と大反発を受けた。

だが、フランスが昔からドゴール主義を貫いてきたと考えれば、さほど意外なことでもなかっただろう。マクロンはなぜ台湾問題に関して、米国に追随しない考えをこのタイミングで公表したのか。

マクロン大統領は４月６日、中国を訪問し、習近平国家主席と会談、ロシア・ウクライナ戦争についてのコンセンサスを探った。同じタイミングでＥＵ委員長のウルズラ・フォン・デア・ライエンも訪中。それぞれ習近平と個別会談を行い、また三者会談も行なった。

最大のテーマは、ロシア・ウクライナ戦争における中国の仲介の役割についてである。米国が２月に公表した、中国がロシアに武器供与を検討しているという情報を受けて、中国がプーチンの味方になるのではなく、プーチンを牽制しブレーキを踏ませるように求める、ということだ。マクロンとフォン・デア・ライエンは、ＥＵ勢として共闘するつもりで同時訪問したようだ。

## 習近平が狙うＥＵの分断

だがこれに対し、習近平にも狙いがあった。それはＥＵの分断だ。

マクロンの訪中に対して、習近平は最高の待遇を準備した。降機時の紅絨毯と秦剛外相（当時）の出迎え、天安門広場での解放軍の礼砲、両国元首による儀仗隊閲兵式典、正式の晩餐会は、国家元首の国事訪問としては当然としても、習近平が2日にわたり異なる土地で２回も会談を行い、２回も食事につき合ったのは異例であり、やはりマクロンを籠絡してやるという気合を感じさせた。

２回目の会談は非公式であったが、習近平の父親・習仲勲が広東省書記時代に官邸として利用した思い出の場所、松園賓館を会場に選んで食事をしたあとに、中国の伝統的な茶芸で淹れた茶を飲みながら語り合ったという。

さらに、４月６日にはマクロンが引き連れてきた企業代表団50人との間で、エアバス１６０機・２００億ドル相当の受注を含む宇宙、航空、原子力、農業分野での経済協力協定が調印さ

習近平主席(左)と握手するフランスのマクロン大統領(写真提供:中国通信／時事通信フォト)

れた。

新華社によれば、習近平は公式会談で「今や世界はまさに深刻な歴史の変化にあり、中仏はともに国連安保理常任理事国として、また独立自主の伝統ある大国として、世界の多極化、国際関係の民主化の推進者として、対立と束縛を超えて、安定、互恵、開拓を堅持し、中仏の全面的戦略的パートナーシップ関係の構築に向けて、真の多極主義を実践し、世界平和、安定、繁栄を擁護していく能力と責任がある」と語った。

また、「欧州は多極化する世界の独立した一極であり、中欧関係は第三者をターゲットにせず、依存せず、干渉も受けないことを堅持しよう」と、中国とEUの付き合いは米国の影響を受けるべきではないとの考えを示した。

マクロンは「フランスは『一つの中国』政策を尊重し、遂行する。今回、大規模な訪中団を率いてきたのは、中国側との協力を強化し、人文交流を促進したいからだ」「中国の第3回一帯一路国際協力サミットフォーラムの開催については、フランスも協力したい。……中国と緊密に連携をとって、世界の持久的な平和安定の実現に努力したい」と答えていた。

マクロンは、フランスが独立自主外交を堅持すること、欧州戦略の自主性を主張し、対立分裂を画策することに反対し、陣営に分かれて対抗することにも反対するとして、「フランスはどちらかの側に立つことを選ばないし、団結協力、大国関係の安定維持を主張する」との立場を表明した。

ウクライナ問題については、習近平は「ウクライナ危機の政治的解決に欧州が影響力を発揮することを支持する。フランスと一緒に国際社会の理性的抑制を呼び掛け、危機をエスカレートさせるような、ひいてはコントロールを失うような行動を取らないように呼びかけたい」とし、核戦争、核兵器、生物化学兵器の使用、民用原発攻撃への反対を強調。

マクロンは、ウクライナ危機の政治的解決に中国が重要な影響力を発揮できると評価したようだ。ただしフランスメディア側の報道を参考にすれば、マクロンは「（中国の提示する）和平協議の条件を変更しないと、侵略占領された国家の立場としては、実質的な協議に参加できない」「世界のその他の影響力ある国家は皆そのような認識だ」と主張。国連の安保理メンバー国でも、この問題を解決するための協議の条件に満足できない、とも指摘したという。

つまり、ウクライナの立場（クリミアを含め、侵略地域からのロシア軍全面撤退を和平協議の絶対条件とする）を中国側に伝え、立場の違いははっきりさせた模様。この立場の違いが埋まった様子はない。

台湾問題については、公式発表を見る限りマクロンが「『一つの中国』政策を尊重し、推進する」と言ったぐらいしか発言は見当たらないが、米国の対中制裁に足並みをそろえたくない意志ははっきりさせたといえる。

## 「米国の犬」は冷遇

一方、同時期に訪中したフォン・デア・ライエンは習近平との会談で、以下のように習近平の嫌がりそうなことをはっきりと述べたようだ。フォン・デア・ライエン自身が記者会見で明らかにした。

「台湾海峡の安定、平和、現状維持は我々の利益に合致する。このことから、いかなる者も一方的に武力でこの地域の現状を変えてはならない。威嚇、武力使用によって現状を変えることは受け入れられない。重要なのは対話で発生しうる緊張情勢を解決するべきだということだ」
「私は中国人権状況の悪化に深い関心を寄せている。新疆の状況はとくに心配だ。我々はこれら問題を継続して話し合うことが非常に需要だと考える。だから、中欧人権対話が復活していることに歓迎の意を示す」

中国メディアによれば、彼女には7人の子供がいて、全員が米国パスポート保持者の親米派で、次期NATO（北大西洋条約機構）事務局長を狙う「米国の犬」らしい。だから、習近平はフォン・デア・ライエンに対しては、マクロンとは対照的に露骨に冷遇した。とくに、降機後の入国手続きで一般降機客と同じルートで案内したことが、欧州メディアで批判的に報じられていた。

これはたんに習近平個人の好悪の差ではなく、EU分断戦略、米国との離間工作という狙いがある。わかりきった手ではあるが、効果的だ。実際に、マクロンは上機嫌で帰国し、台湾問題について冒頭のような発言をし、ＥＵ内でもハレーションを起こした。

## ◆プーチンを説得できそうなのは習近平しかいない

中国から大歓待を受け、１６０機エアバスをお買い上げいただき、マクロンとしては大収穫の訪中であったろう。だが、これはマクロンがチャイナマネーに籠絡された、というだけの問題ではない。

ＥＵから見て、ロシア・ウクライナ戦争というＥＵ経済、社会の安定に直結する戦争だ。これを早急に終わらせるためにプーチンを説得できそうなのは、今のところ習近平しかいない。習近平の狙いはプーチン体制を守ることだ。

習近平はプーチンが戦争責任を問われないかたちでの和平協議を模索している。その条件をウクライナに呑ませることをＥＵに期待はするが、習近平はたぶん戦争が終結することをＥＵほど切実に望んでいるわけではないだろう。この戦争が長引いてロシアが弱体化したり、米軍備がユーラシアに分散したりすることは、中国にとってそう悪い話ではない。

となると、ＥＵと中国のディールはやはり習近平有利になってくる。習近平がＥＵの求めるように影響力を発揮するとしたら、ＥＵ側は何を対価とするのか、それが問われることになる。もし、ロシアを説得する代わりに、中国と台湾の問題に口を挟むな、という条件がバーターで出されたら、マクロンのように発言するEU国の元首はほかにも出てくるのではないか。たとえば同年3月30日に訪中したスペインのサンチェス首相も、習近平の仲介提案をポジティブに評価した。そしてウクライナのゼレンスキー大統領との会談を勧めた。習近平、サンチェス会談のウクライナに関する詳しいやり取りはほとんど公開されていないが、2023年7月にEU議長国となるスペインとしては、中国と共同で何とか平和協議の入り口にこぎつけたいと考えているだろう。

# 第5章　習近平「一つの中国」の失敗

## 朝鮮半島・台湾バーター論

習近平は第3期目の総書記任期を決めたのち、長期独裁体制の最終目的として、国際社会に中国朋友圏を確立し、中国共産党の価値観、ルールによる国際秩序を打ち立てる考えを明確にしている。

これは、戦後長らく不動のルールメーカーだった米国に代わる地位に立ち、毛沢東もなしえなかった「世界の領袖（りょうしゅう）」を目指すものと考えていいだろう。そうすることによって、米国主導で目下、進められている対中デカップリング、対中包囲網に対抗していく考えだ。

中国が、この中国朋友圏に取り込もうとしているのは、アフリカや中南米や東南アジアの途上国やBRICSら新興国、中東や中央アジアの資源国。そして、じつはEUだ。

NATOという一見、軍事同盟の絆で結ばれた西側陣営に見えて、EU内にも対米不信感は募っている。とくにノルド・ストリームを米軍に破壊されたかもしれないという考えは、EU世論をむしばみ始めている。中国にはそこから崩していきたい、という思惑がある。

ここで注意したいのは、中国がロシア・ウクライナ戦争の調停役ができるようなそぶりで、EUを揺さぶり、分断を画策している目的の一つに、台湾統一に向けた国際環境を整える布石が含まれていることだ。

仮に、ロシアのプーチンがEUが望むようなかたちの停戦条件を呑むよう中国が説得可能だとして、中国がEUに台湾問題を内政問題と認めるように要求したり、米国の対中経済制裁に追随しないことを条件に出した場合、EU内にはそのバーター条件をのむ可能性がある国がある。マクロンの台湾に関する発言はまさに、それを表している。

台湾問題は、地理的に遠く離れたウクライナ問題と、ともに米中のパワーゲームであるという側面が共通している。

かつて朝鮮半島・台湾バーター論という説があった。北朝鮮問題と台湾問題もやはり、米中のパワーゲームが背後にあったが、中国が北朝鮮を解体させ、韓国による南北統一を認める代わりに、米国は台湾を放棄するという考えだ。

これはほんの一時期、胡錦濤政権下で台湾に対するアプローチが経済緊密化というソフト路線になり、台湾人自らが中台経済一体化を喜び、平和的統一の可能性がありそうなムードが深まる一方で、北朝鮮の指導者が金正恩に世代交代して中国と北朝鮮との血で固めた友誼が色褪(あ)せてきた状況の中で、まことしやかにささやかれた。そもそも、台湾世論が自ら中国と統一されることを望んだら、米国の台湾防衛関与は必要なくなるじゃないか、と。それより、核兵器開発に熱心な金正恩を中国が何とかしてくれれば、というわけだ。

## 台湾は今やアジアの自由主義世界を守る核心

そのころ、米国はオバマ政権であり、最も中国に対する認識が甘く、そして中国に最も見くびられた政権であった。それが習近平政権になり、その強烈な独裁主義と覇権への野望が明らかになったことで、米国も台湾も中国にきわめて強い警戒心をもち、中台平和統一の可能性など吹っ飛んでしまった。台湾は今や、米国だけでなく、アジアの自由主義世界を守るうえでの核心中の核心であると気付かされた。

米国は、今は台湾と北朝鮮半島であれば、台湾のほうがアジアの自由主義世界を守るうえで重要だと見ている。たとえば韓国の米軍を撤退させても、台湾に対する防衛力を削減することはしまい。

だがEUの国々にとって、ウクライナ危機と台湾問題、いずれを重視するかという選択肢を与えられれば、言わずもがな、ウクライナ危機だろう。とくにフランス、スペイン、イタリアあたりは、台湾問題に関して中国寄りに動くかもしれない。ドイツについては、今のショルツ政権は比較的中国に警戒心が強く、ベアボック外相が4月中旬に北京を訪問したときは、はっきりと「台湾情勢の緊張はドイツおよびEUと無関係ではありえない。全世界にとって、とくにドイツのような工業国家にとっては、台湾海峡の軍事緊張のエスカレートは最悪の事態だ」「一方的な改変は我々欧州人は受け入れられない」と中国に牽制をかけていた。

だが、ドイツもノルド・ストリーム破壊事件で米国への不信感が募っており、台湾危機がエスカレートして米国が対中制裁を起こすとなったとき、EUが一枚岩となってそれに追随することが可能かは怪しい状況になった。

ロシア・ウクライナ戦争がどういうかたちで終息するのか、実際のところは停戦できず、だらだらと何年も続くのかは未だ不明だが、この戦争の決着の在り方は、かなり台湾海峡の問題に影響を与える。

侵略されたウクライナ側が勝利するかたちで戦争が決着しないと、侵略戦争が正当化され、第2、第3の侵略戦争が起きやすいムードが生まれるが、仮に中国の仲介によって戦争が終結し、そのバーターとしてEU諸国が台湾問題を中国の内政問題と見なすようになれば、中国の台湾統一の可能性は高まるかもしれない。どういうかたちにしろ、台湾が中国に併呑されればインド・太平洋・アジアの安全保障の枠組みは大きく変わり、米中対立のバランス、国際社会の枠組みは重大な変革を迎えることになる。

## 南太平洋島嶼国に飛び火する中台問題

台湾の問題は、台湾が中国に統一されるか否かという問題にとどまらず、今後の国際社会の枠組みがどういうかたちになるか、という意味で、台湾や中国だけが当事者ではないといえる。

その証左の一つとして、台湾の問題が南太平洋島嶼国にも飛び火している例を挙げたい。まずはソロモン諸島の問題だ。２０１９年まで台湾と国交を維持していたが、親中派のソガバレ政権が中国のチャイナマネー外交によって断交、中国と国交を樹立した。

ソロモン諸島は、南太平洋、パプアニューギニアの東側にある6つの主要な島からなる人口約70万人、１００以上の部族方言をもつ多民族島嶼国。１９７８年に英国統治下から独立したのち、国内政治が断続的に不安定だった。とくに最多人口のマライタ島（マライタ州）と中央政府のあるガダルカナル島（ガダルカナル州）の部族が反目し、１９９８年から２００３年までの間、激しい部族衝突が続いていた。２０００年6月には元蔵相による事実上の政変も起きた。

ガダルカナル島の首都ホニアラには、多くのマライタ島民が移住している。それらのマライタ移民とガダルカナル島民との関係はきわめて悪く、ガダルカナル島民はマライタ移民に土地を不法に占拠されていると感じていた。

一方、マライタ移民は建設業など単純労働に従事する者が多く、搾取されていると感じていた。無職、無就学のマライタ出身の若者が徒党をつくってガダルカナル島民を殺害するといった事件も起きていた。そうした経緯からガダルカナル島民は民兵組織（イサタンプ解放運動、ＩＭＦ）をつくり、２万人のマライタ系住民をガダルカナル島から力ずくで追い出した。この際、マライタ系住民は豚や建物などの財産をＩＭＦに奪われた。

２００３年まで、そうした民族紛争が２０００回以上繰り返されてきたという。その間に政変も起こり、その後も国内政治は安定しなかった。結局、軍隊をもたないソロモン諸島自身ではこの対立は解決できず、オーストラリア、ニュージーランドを中心とした多国籍の平和維持部隊（ＲＡＭＳＩ、ソロモン諸島支援ミッション）の干渉によって、何とか事態は収束した。

## ソロモン諸島の反中感情

この民族紛争は、ガダルカナル、マライタ系住民双方に相当の苦痛や経済損失を含む被害を出しており、双方が中央政府に賠償を求めた。ちなみにこの賠償金は中央政府から双方に支払われたが、それは1983年以来、ソロモン諸島と国交を結んできた台湾の輸出入銀行の融資によって賄われた。

だが、ソロモン諸島と台湾との国交は、2019年にマナセ・ソガバレ首相によって断絶される。ソガバレは、かねてより反RAMSI、対オーストラリア強硬派だった。2017年に4度目の首相の任に就いた際、オーストラリアと中国の関係悪化を見て、中国との国交樹立がオーストラリアへの対抗に有利である、と判断したこともあるようだ。だが決め手は、中国の5億ドルの支援などだったと見られている。チャイナマネーに絡め取られたというわけだ。

一方、ソロモン諸島の国民にはもともと反中感情があった。2006年の選挙をきっかけにホニアラで起きた暴動では、チャイナタウンが襲撃されている。暴動の責任を取るかたちで、当時のスナイダー・リニ首相は辞任した。リニ首相の選出に北京当局が関与している、という噂が暴動の引き金だった。政治不信の根っこに「華人が政治に介入している」「華人が経済を支配している」「新しく来た中国人に島の伝統社会に対する理解やリスペクトがない」といった対中嫌悪があるとも指摘されていた。ただこの時点では、ターゲットになっている華人には台湾人も含まれている。

こうした中国人嫌悪の感情は、2019年にソガバレ政権が台湾断交、中国国交樹立を打ち出して以降、さらに高まることになった。中国企業が「一帯一路」を掲げて大量の中国人労働者を引き連れてやってきたことで、現地の若者の雇用が奪われたという恨みが高じた。

また、中国との国交樹立とほぼ同じタイミングで、ソロモン諸島中央に位置するツラギ島を中国の国営企業「中国森田企業集団」に丸々75年間貸与する契約が結ばれたという報道が出たことも、ソロモン諸島国民の感情を逆なでした。ツラギ島は太平洋戦争で日米が死闘を繰り広げた激戦の地。地政学的な要衝の地であり、軍港に適した入江もある。ここに中国が軍事基地でもつくるのではないか、と国際社会も騒然とした。

ツラギ島租借契約は違法であり、破棄せねばならない、とソロモン諸島法務相はのちに声明を出し、国際社会の圧力もあって白紙に戻させたが、中国がソロモンを狙っているという警戒心はさらに強まった。また、材木の対中輸出が急増することで森林資源が破壊されるなど環境問題も深刻化していった。

## 中国企業進出を禁じたスイダニ州首相

こうした親中ソガバレ政権に対して反旗を翻したのが、かねてから因縁のあるマライタ島民を代表する州首相、ダニエル・スイダニである。台湾との関係を維持すると表明し、州内での中国企業進出を禁じた。その代わりに米国からの開発援助を取り付けた。2019年10月、「中国共産党と、その無神論的イデオロギーに基づく公的なシステムを拒否する」と訴えてマライタ州の自決権を謳う「アウキ・コミュニケ」を打ち出し、州議会で採択された。さらに2020年9月、マライタ州首相として独立を問う住民投票を行う、と宣言した。

台湾は2020年6月、新型コロナ禍の中、マライタに対し防疫物資の無償支援を行い、スイダニは物資の受け取り式典で台湾を賞賛。だが、中央政府がこの防疫物資を没収するといった事件も起きていた。また、スイダニは2021年5月、台湾で脳外科手術を受けた。ソロモン現地の親スイダニ報道によれば、スイダニの台湾訪問中に、ソガバレ派がマライタ州議会でスイダニ州首相不信任案を提出させようと画策していたらしい。結果的に世論の反発でこれは失敗。スイダニが台湾から帰国したあと、不信任案を提出しようとした州議長が住民に謝罪するといった事態が起きていた。

このスイダニ不信任案の動きを妨害するために「マライタ市民が暴動を起こす」という噂が流れ、議長は怯えて謝罪した。それが2021年10月27日。その1カ月後にホニアラで反中大規模デモが起きた。当初はスイダニ支持派の民主的なデモだったらしいが、それが社会の低層で不満をため込んでいる若者を刺激し、華人系店舗50以上を焼き討ち、略奪し、2800万ドル規模の損失を引き起こすような暴乱に発展してしまった。

ソガバレ政権は、オーストラリアなどに治安維持を要請し、オーストラリアやフィジーが軍警約200人を派遣し、暴動自体はまもなく沈静化された。

## ◆「中国vs台湾」の外交戦の反映

状況を整理すると、ソロモン諸島では、根深い中国人嫌悪と、チャイナマネーが引き起こす政界汚職、部族対立構造を反映した政治不信がある。その対立は「ソガバレvsスイダニ」の権力闘争として顕在化、そこに「中国vs台湾」の外交戦が反映され、そこに「中国vs米・豪その他西側陣営」の安全保障と価値観対立が重なるかたちで複雑化していた。

また、マライタ州の「独立」の動きは、台湾の独立派の動きに連動しかねない、と見る中国にしてみれば、このマライタ州の動きはじつに危険極まりないものだった。

2021年11月のホニアラの暴動事件に関して、中国とソガバレ側は、外部勢力（台湾、オーストラリア、米国など）が反ソガバレの動きを煽動している、と非難した。一方、スイダニ側は、オーストラリアなどが軍警を治安維持のために派遣したことは、ソガバレ政権維持に利する、と批判していた。

ソロモン諸島国会は11月27日に再開され、マシュー・ワレ野党代表がソガバレに対する不信任案動議に関する通告を出したと発表。だが、それに抵抗するソガバレ政権は中国の支援を得て権力基盤を強固にし、ついには２０２２年4月、中国と安全保障協定を結ぶに至った。

この草案は、政権内部で中国の浸透に危機感をもった官僚によって対外的に２０２２年3月下旬にリークされ、寝耳に水だったオーストラリアなど西側社会が騒然とした。

## 危ういソロモン諸島・中国の安全保障協定

これは中国と南太平洋の島嶼国・ソロモン諸島による、広汎な範囲に及ぶ安全保障のフレームワーク協定で、その主な内容は３つのポイントに絞られる。

①中国は警察、武装警察、軍およびその他の法執行武装機関を、ソロモン諸島政府の要請に応じて派遣し、ソロモン諸島の治安維持任務や、人民の生命の安全や財産の保護、人道的援助、災害救援を行う。中国側が必要とすれば、ソロモン諸島側の同意のもと、艦船をソロモン諸島に訪問させ、ソロモン諸島で補給を行い、ソロモン諸島で停留、トランジットすることができる。ソロモン諸島側はあらゆる必要な施設を提供する。また、中国の関連

部隊は、ソロモン諸島における中国人および主要プロジェクトの安全を守るためにも使用されうる。

②中国はその他の任務にも協力し、同時に守秘義務を求めることができる。当事者（中国とソロモン諸島）の書面による許可がない限り、その情報は第三者に公開できない。いずれかが拒否すれば、メディアブリーフィングを含めて協力内容の情報を漏らすことはできない。

③このフレームワークを妨害するような議論、争いが発生した場合、当事者同士で相談によって解決する。

この安全保障協定により、ソロモン諸島という、政治的にまだ成熟していない国家は中国化が進むことになった。ソロモン諸島は軍隊をもたず、警官も８００人程度。しかも、今だ部族社会的な価値観が民主主義や法治よりも優先されがちだ。そのため、ソロモン諸島の政治は汚職、腐敗が大きな問題となっており、中国のような国が入り込む隙がある。

市民の中には、そうした政治を正そうと、欧米式の平和デモ、抗議活動を行う有識者や組織が存在する。一方で社会には、大きな貧富格差の中で、仕事のない鬱屈した若者の怒りが平和デモを乗っ取るかたちで「暴力事件」を引き起こす危うさもくすぶっている。この貧富格差は、中国が近年急増させている投資プロジェクトによって拡大しているという状況もある。

そんな国で中国が安全保障に協力し、ソロモン諸島の治安維持にコミットすればどうなるか。

成熟した香港の市民デモ文化でさえ、中国公安のやり方にかかれば「暴徒」として鎮圧され、テロリストや犯罪者に仕立て上げられるのだから、ソロモン諸島の民主主義運動など、あっという間に根絶やしにされる。

ちなみに中国とソロモン諸島は、この草案とはまた別に警察・警務サービスに関する協力協定にも調印している。2021年11月に発生したソロモン諸島首都ホニアラの暴動事件を踏まえて、12月にソロモン諸島と中国の間で結ばれた協力協定だ。

暴動当時はオーストラリア、フィジー、ニュージーランド、パプアニューギニアによる平和維持部隊200人が派遣されて事態の鎮静化に当たったたが、このとき、中国は自国の武装警察や解放軍を派遣できていなかった。そこで中国の働きかけによって、ソロモン諸島は中国と新たな警務サービス協力協定を結んだ。この協定に基づき、中国は中国流暴動鎮圧術を教えるための中国公安警察の顧問団を派遣し、武器装備を供与。2022年3月14日には研修講座が開講した。

この中国公安の顧問団の影響なのかどうかはわからないが、3月17日、マライタ州都アウキ郊外の農村に住む民主運動家リーダー狩り作戦が展開され、未明にソロモン警官隊20人が村を襲撃する出来事があった。このとき、催涙弾やゴム弾による無差別攻撃があった。

こういう野蛮なやり方はこれまでのソロモン警察のやり方と違う、というのが南太平洋島嶼国の安全保障問題専門家の早川理恵子氏らの意見だ。つまりソロモン警察は、中国公安化が進みつつあるようなのだ。ちなみに、この警察による襲撃は村民の抵抗によって失敗したというが、次に同じ作戦を取るときは、もっと徹底的に容赦なく行われるかもしれない。

## 米国のインド太平洋包囲網計画を突破する狙い

ソロモン諸島の価値観や司法秩序が中国化する、というのも深刻な問題ではあるのだが、より大きな問題は、この協定が結ばれれば、ソロモン諸島に人民解放軍が駐留することも可能になり、それが南太平洋の安全保障の枠組みを根本的に変える可能性があることだろう。

船舶のソロモン諸島寄港については「中国が必要と認めれば」とあり、この「必要」が軍事戦略上の必要も含まれているのかどうかは、草案の文面だけではわからない。またソロモン側は、補給、ロジスティクスとも中国が必要とするものをいっさい提供することになっているので、たとえばオーストラリアが長年ソロモン諸島に安全保障目的で投資・整備したインフラを解放軍が使用する、ということになるかもしれない。

インド太平洋の軍事戦略研究家でもある台湾国策院顧問の陳文甲が、ボイス・オブ・アメリカのインタビューで、中国とソロモン諸島のこの安全保障協定の真の狙いは、米国のインド太平洋包囲網計画を突破することにある、と指摘している。

陳文甲によれば、米・豪・日・印による「ＱＵＡＤ」、それに続いて２０２１年９月に打ち出された米・英・豪の「ＡＵＫＵＳ」といった安全保障上の中国包囲網が太平洋においてつくられたことに対抗する中国の動き、ということだ。

米軍はアフガニスタンから撤退したのち、その軍事資源をアジア太平洋地域に集中させ、ＱＵＡＤやＡＵＫＵＳの構築を進めた。沖縄と台湾、フィリピンをつなぐ第１列島線、小笠原からグアム、パプアニューギニアをつなぐ第２列島線、ハワイから米領サモアをつなぐ第３列島線の守備を強固にして、中国の太平洋進出を阻もうという意図がある。

## 第1列島線も第2列島線も越えるチャイナマネーで攻略

中国は、現代を１００年周期で巡ってきた国際社会の再構築時期と捉えて、新たな国際社会の枠組みのイメージを描いている。それは、米国の軍事プレゼンスをハワイくらいまで押し戻し、ハワイ以西のアジア、インド太平洋地域を中華圏にするという壮大な野望の実現である。陳文甲はこの駆け引きが目下の米中対立の本質だと指摘していた。

中国としては、ＱＵＡＤとＡＵＫＵＳの二重の包囲網をいかに突破するかを考えた場合、一つの方法としては台湾統一によって第1列島線の鎖を突破するというやり方だろう。しかし、これは米国も日本も、そして何より台湾自身が最も警戒し、危機に備えている。

ウクライナ戦争のどさくさに紛れて、中国が台湾に対して何か仕掛けてくるのではないか、という見方もあった。だが、軍事力世界2位といわれたロシアが小国ウクライナを攻略するのにあれほど苦戦しているのを見れば、中国軍が海で囲まれた台湾に進攻することは決して生易しいものではない、と気づかされたことだろう。

ならば、第1列島線も第2列島線も越えて、メラネシアを武力ではなくチャイナマネーで攻略できれば、それに越したことはない。

中国はかねてから南太平洋島嶼国に対して、「一帯一路」構想と海底ケーブル敷設事業を建前に浸透工作を続けていた。近年になって、中国企業がこの地域の海底ケーブル事業に関わることの安全保障上のリスクに各国が気づき始めて、中国企業を排除しようとする動きも出てはきているが、ソロモン諸島との安全保障協定調印は、こうした米国の対中包囲網に対する大きな反撃の礎となった。

仮にソロモン諸島が中国の解放軍海軍拠点になるとすれば、米豪軍事同盟を寸断する役割を担うとともに「中国は南太平洋地域において、一帯一路という経済の盾と、この安全保障協定という矛(ほこ)をもつことを意味する。東シナ海、台湾海峡の第1列島線を突破してくる本国からの勢力とともに、第2列島線、第3列島線突破作戦を進められる」（陳文甲）というわけだ。

## スイダニの罷免を可決

中国による政治干渉が問題となっている南太平洋の島嶼国、ソロモン諸島で中国の政治干渉に抵抗してきた中心人物である政治家のマライタ州首相、ダニエル・スイダニは2023年2月初め、突然の罷免(ひめん)動議によって身分を剝奪(はくだつ)された。スイダニは自身の生命の安全を守るために支援者の手引きでひそかに国外脱出を図り、無事だという。

この政治事件は、ソロモン諸島のみならず、南太平洋島嶼国の政治家たちに衝撃を与えている。ソロモン諸島が完全に中国の影響下に収まれば、それを端緒として南太平洋島嶼国の中国共産党化が一気に始まる可能性がある。ひとたびそうなれば、南太平洋の島嶼国と中国に挟まれる日本と台湾の国家安全が脅かされるだけでなく、太平洋における影響力を米国と二分しようという中国の野心を増幅させることになる。

オーストラリア国営放送のABCが伝えたところによれば、マライタ州議会は2月7日、スイダニに対して不信任投票を行なった。反対派の議員は動議をボイコットしたものの、17人の議員が投票し、全員一致でスイダニの罷免を可決したという。この罷免投票後、州都アウキでは反対デモが起きたが、警察が催涙ガスなどを使って鎮圧し、負傷者が出た。

スイダニの不信任動議が申し立てられた理由として、「マライタ州内の中国鉱山企業に金銭を要求したこと」と「マライタ州政府財政からスイダニ個人の警備員の給与を支払っていたこと」などが挙げられている。スイダニの後任の首相には、不信任動議を提出したソガバレ政権支持派のマルティン・ガオテ・フィニが選出され、残り4カ月の任期を務めることになった。

当然、マライタ州政府の中には、この罷免の合法性に疑問を呈する声もある。スイダニの顧問を務めていたセルカス・タリフィルは、「今回の罷免はソガバレ政権派と中国が共謀したものだ」と主張している。

タリフィルがオーストラリアのメディアに語った発言を総合すると、州議長がソガバレ政権と中国側に同調したことがスイダニ罷免の決定打になったようだ。そこに利権や賄賂構造が疑われている。

## 通信セキュリティの主導権争い

中国共産党のソロモン諸島への浸透は、じつのところソロモン諸島だけの問題ではなく、南太平洋で最多の人口を擁する島国が中国の太平洋進出の拠点となるかもしれないという意味で、日本や台湾も含む西側自由主義国家の安全保障問題と直結する。

南太平洋の政治と外交に詳しいジャーナリストのクレオ・パスカルは、スイダニの追放によって、中国共産党と直接的、あるいは間接的に関わる新規投資ビジネスのライセンスを凍結する決意が盛り込まれたアウキ・コミュニケがマライタ州で無力化され、ソロモン諸島の中国共産党化がいっそう進むだろう、との見方を示す。無神論のイデオロギーに基づく中共のやり方や警察国家的な概念によって、キリスト教が定着しているマライタの人々の信仰の自由など基本的人権が阻害されることを拒否する、というのがコミュニケの立場だからだ。

このコミュニケが無効化されると、マライタ州の天然資源やマンパワーが中国に搾取されるだけでなく、中国に新たな領土を与えることにもなりうるだろう、ともパスカルは警告する。

具体的な話をすれば、中国ハイテク企業のファーウェイがソロモン諸島で進めていた161の携帯電話用基地局の鉄塔建設プロジェクトのうち、マライタ州の27塔建設についてはアウキ・コミュニケによって凍結されていたが、再び動き出すことになる。2023年11月19日から12月2日にホニアラで「2023年パシフィックゲームズ」が開催されるまでに通信接続を拡大することが目標だといわれている。このパシフィックゲームズ開催にも、中国資本が多く入っている。

将来的な米中対立を想定した場合、南太平洋島嶼国の通信インフラ建設を中国主導で進めるか、米国ほか西側企業の主導で進めるかは、すなわちこの地域の情報通信のセキュリティが中国にとって安全なものになるのか、それとも米国や西側諸国にとって安全なものになるのかという問題につながってくる。ナウルをはじめ、太平洋島嶼国付近の海底ケーブル建設の主導権争いが米中間で激化している状況と同じ背景があるのだ。通信セキュリティの主導権争いは、そのまま軍事的戦略の優位性につながる。

太平洋島嶼国では、現地の文化伝統を軽んじ、チャイナマネーで現地政治家を籠絡させるような中国のやり方に反感をもつ政治家や活動家は少なくない。しかしスイダニがかくも簡単に罷免され、身の安全を脅かされ、国外に逃げざるをえない事態を目の当たりにして、多くの反中派政治家らも不安を感じている。台湾との外交維持を支持してきたナウル、ツバル、マーシャル諸島、パラオの政治家たちも、今後、自らが中共のこうした排除工作のターゲットになるのではないか、と戦々恐々としているという。

クレオ・パスカルは「中国は、ソロモンを完食したら、次の食事のための拠点として利用するだろう」と警告している。ソロモンが完全に中国に食われるということは、今後の国際社会の安全保障の枠組みを変える大きな動きの一部であり、日本を含めた西側自由主義国家にとっても死活問題だといえる。

## ミクロネシア連邦が国交を中国から台湾にスイッチ？

こうした南太平島嶼国を舞台とした中国と台湾の外交政治戦争は、必ずしも台湾が劣勢にばかり立たされているわけではない。2023年3月9日、ミクロネシア連邦のパニュエロ大統領（当時）は、これまで中国と維持してきた国交を台湾にスイッチしようと試みたことが明らかになった。

2023年5月に大統領の任期を終える同大統領が退任直前に明かした外交アクションで、太平洋島嶼国全体に大きなシグナルを発した恰好だ。

太平洋島嶼国の中で親米的なミクロネシア連邦のパニュエロ大統領が議会に宛てた3月9日付の書簡が翌10日、複数のメディアを通じてリークされ、2月にミクロネシア連邦が台湾外交当局から5000万ドル（約65億3400万円）の資金援助を受けるための協議の席上で、外交関係を中国から台湾にスイッチすることが可能か、打診したことが明らかになった。

書簡では、パニュエロ大統領は、習近平・中国国家主席が2027年に台湾に侵攻するための準備を指示していると言い切ったうえ、「ミクロネシア連邦はそのような紛争を防ぐのか、看過して起こさせるのかという重要な役割を担っている」「中国は、台湾と戦争が起きたときにミクロネシア連邦が米国と中国のどちら側につくつもりなのか、まったく関わらないのか、確かめようとしている」という認識を示していた。

ミクロネシア連邦のパニュエロ大統領（写真提供：時事）

さらにその書簡では、「ミクロネシア連邦がすでに中国の〝政治戦争〟に巻き込まれつつある」と危機感を露わにして注意を喚起していた。

## 「ブルーエコノミープラン」の調印を拒否

中国がミクロネシア連邦に仕掛けている、というこの「政治戦争」の中身は、じつに衝撃的だ。具体的には、EEZ（排他的経済水域）において中国の調査船活動が公然と行われているうえ、その目的が、米国領グアムへの攻撃が必要になったときに備えて潜水艦の移動経路をマッピングするためであることや、ミクロネシア連邦がこの調査船の目的を確認しようとパトロール船を派遣すると、ミクロネシア連邦のEEZ内であるにもかかわらず、中国側から「近づくな」と警告されたことなどが、その一例だ。

こうした中国の動きに脅威を感じたパニュエロ大統領は2022年、中国が進めている海洋空間計画「ブルーエコノミープラン」に調印することを拒否した。しかしその後、中国から大使としてミクロネシア連邦に新たに派遣された呉偉大使は、外交部の渉外安全事務局副局長出身で、経歴にも不明な点が多い人物だった。

パニュエロ大統領が独自に調査を進めた結果、この人物は、ミクロネシア連邦政府を米国や日本、オーストラリアなどの伝統的なパートナー国から分断させて中国側に引き寄せる、いわゆる安全工作活動の任務を帯びていることが判明したため、大統領は大使の着任を拒否した。

パニュエロ大統領は、２０２２年７月にフィジーで開かれた太平洋島嶼フォーラムに出席した際、２人の中国人に密かに尾行されていたことも明らかにした。のちにその２人の中国人はフィジーのスバにある中国大使館の職員で、うち一人は解放軍の諜報員であることも明らかになった。その諜報員の姿は、以前もミクロネシア内で目撃されていたという。

さらに、銭波（せんは）・元駐フィジー中国大使が太平洋担当特使として第２回中国・太平洋島嶼国政治対話に参加したときには、一民間人であるミクロネシア人をミクロネシア政府代表として出席させて発言させるという事件もあり、パニュエロ大統領は書簡を送って「中国はわが国政府が承知していないところで、民間人を勝手にわが国の代表として公的な多国間会議に出席させるというありえない前例をつくった」と、強く抗議していた。さらに、コロナ禍の折に中国が強制的に中国製コロナワクチンを使用させたことについても、「主権をまったく尊重していない」と、批判した。

## 南太平洋島嶼国への影響力を取り戻す

パニュエロ大統領は、ミクロネシア連邦の高級官僚や代議士たちが中国から賄賂を受け取り、国家の利益よりも個人の利益を選択するようになったことが、中国の政治戦争に敗北した原因の一つだと述べ、こうした状況を変えるために「中国から台湾に国交をスイッチするべきだ」と訴えたのだ。書簡の最後には「この書簡を書くこと自体、自分自身や家族、支持者の安全を脅かすものだと重々自覚している」としたうえで、「それでも、国家としての我々の主権と繁栄、平和と安定のほうがもっと重要だと考え、あえて書くことにした」と、覚悟を込めた一文を付け加えている。

ミクロネシア連邦では3月7日に総選挙が実施され、パニュエロ大統領は議席を失って5月に引退。結果からいえば、外交スイッチは成功しなかった。

だが、パニュエロ大統領がここまで危機感を示したことの意義は大きい。背景には、南太平洋島嶼国が台湾海峡危機に連動して米中代理戦争に巻き込まれる可能性がある。同時に、これまで南太平洋島嶼国の安全保障を比較的軽んじてオーストラリアに任せていた米国が、本腰を入れて南太平洋島嶼国への影響力を取り戻そうとし始めていることがある。そうした米国の本気に、パニュエロ大統領が触発されたといえる。

## ◇ニューカレドニアの独立運動にも中国の影

米中の南太平洋におけるパワーバランスは、もともと米国の同盟国であるオーストラリアが中心となってコントロールしてきたが、2015年ごろから、中国のチャイナマネーを使ったオーストラリア議会工作がジワジワ効いて、オーストラリアが大きく親中政策に転じた。

この方面については、クライブ・ハミルトン著の『目に見えぬ侵略 中国のオーストラリア支配計画』(飛鳥新社)などのリポートを通じて日本でもすでに知られるようになったのち、米国、オーストラリアとも、中国の影響力拡大阻止に動いている。

だが、一帯一路を通じた南太平洋島嶼国の取り込みは、予想以上に深かった。それはソロモン諸島が中国と安全保障協定を結んだことが一つの象徴的な出来事だったが、もう一つ、例を挙げておきたい。2021年12月12日に行われた仏領ニューカレドニアの独立を問う住民投票の問題だ。

結果だけ見ると、2018年に行われた1回目、および2020年に行われた2回目に続き、3回目となった今回も独立は否決された。フランス政府が1998年に取り決めたヌーメア協定では、独立を問う住民投票は3回までとされており、それにのっとればこれで決着がついたはずなのだが、そう簡単にはいかないかもしれない。独立運動に加担しているとささやかれる中国がまだ諦めていないからだ。

否決という結果は同じでも、２０２１年と２０２０年では違いもある。たとえば２０２１年12月の投票率は44％と、前回の98％の半分以下にとどまった。また、２０２１年は賛成が３・５％にとどまり、反対が96・５％と圧倒的多数だったが、２０２０年は独立賛成が46・７％、反対が53・26％と拮抗（きっこう）していた。これは当時、独立運動の先頭に立っていたカナク社会主義民族解放戦線がコロナを理由に投票の延期を呼び掛け、独立賛成派にボイコットを促したためだ。

このカナクを率いる議長で、独立運動のリーダーでもあるロック・ワミタンのブレーン的な存在が、中国・ニューカレドニア友好協会の元会長の華人女性、カリーネ・シャン・セイ・ファンだ。友好協会を通じて現地の政策や社会世論を操作するのは中国共産党統一戦線部の伝統的な手法であり、住民投票のボイコットも中国のアイデアではないか、といわれている。

フランス軍事学校戦略研究所（ＩＲＳＥＭ）は２０２１年9月、「中国の影響力と行動に関するシナリオ」というレポートの中で、「現地の独立運動を支援して潜在的なライバルを弱体化させることは、北京（中国政府）の利益に合致する」と指摘。ニューカレドニアの独立運動が中国の影響を強く受けている、と明言した。

## ◆旧日本軍が固執した地域

実際、中国はメラネシアの国々（バヌアツ、フィジー、パプアニューギニア、ソロモン諸島）からなる地域連盟のメラネシア・スピアヘッド・グループ（ＭＳＧ）を支援しており、バヌアツのポートビラに置いた本部建物も建設している。ＭＳＧは国際法に通じた中国人弁護士らを雇用し、国連の植民地独立付与宣言（決議１５１４）に基づいて今回のニューカレドニアの住民投票の無効化を画策している。

独立派を率いるワミタンは２０２０年10月、２回目の住民投票を前に『ル・モンド』紙の取材に答えて「我々は中国を恐れない。我々を植民統治しているのはフランスであり、中国ではない」と述べ、「中国陰謀論はフランスによる支配を正当化するためのものだ」と反論した。

地図を見ればわかるが、パプアニューギニアからバヌアツ、ニューカレドニアを通ってフィジーに至るラインは、米軍のレーダー基地があるパラオから米空軍アンダーセン基地がある米国領グアムを通り、レーガンミサイル実験基地があるマーシャル諸島に至る米国自由連合ライ

オセアニア島嶼国の地図

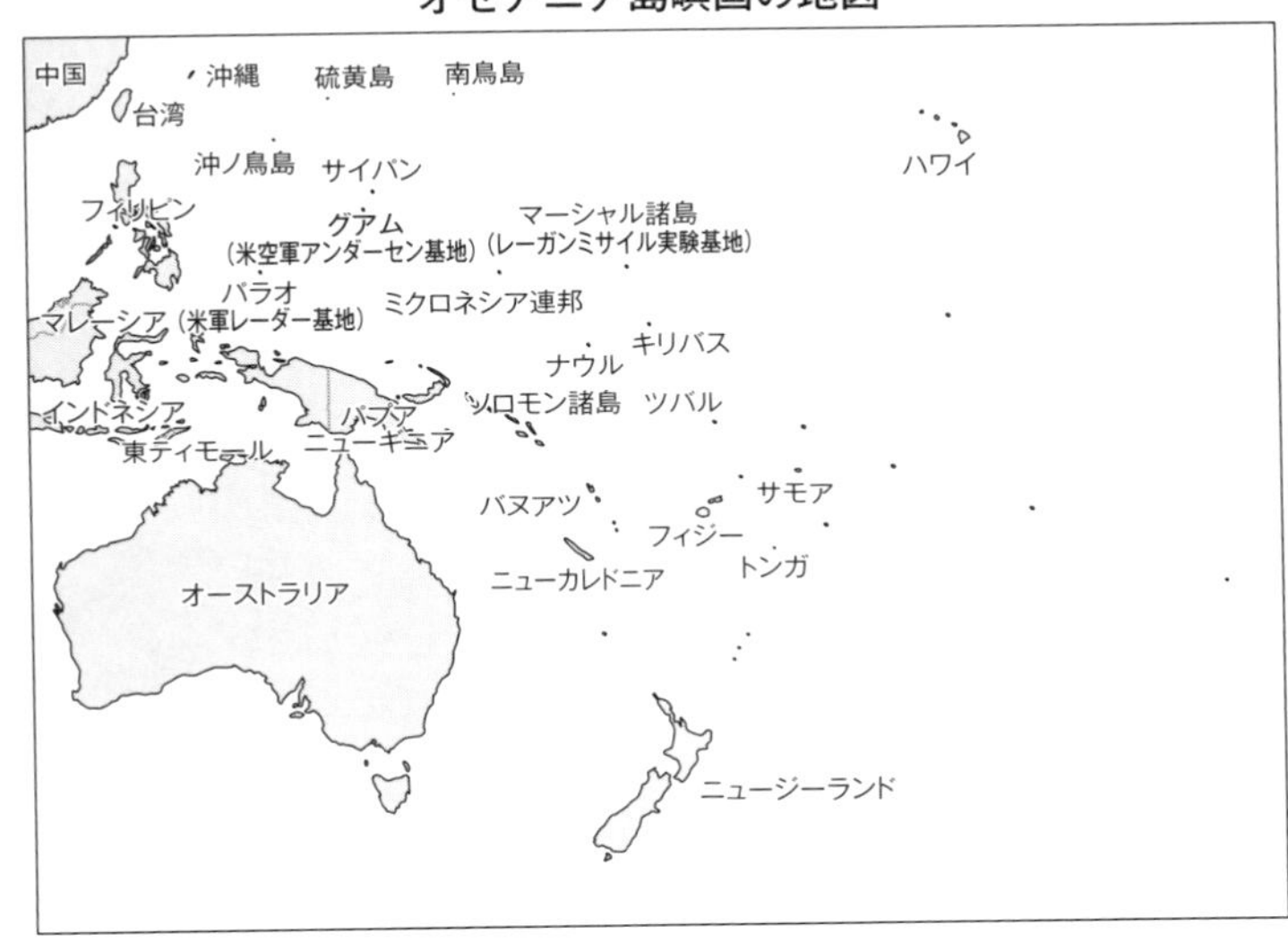


ンと、オーストラリアを分断している。

つまり、先の戦争で旧日本軍が多大な犠牲を払ってもこの地域に固執したのと同じ理由で、中国もまた、この地で軍事プレゼンスを確立し、米豪の連携を分断することが、今世紀半ばまでに米国と同等、あるいはそれを超える大国になるための必須条件だと見ているのだ。

## 米軍資金で敷設する海底ケーブルに参入を提示

米軍基地のあるオーストラリアやグアム、ハワイ、パラオ、マーシャル諸島が浮かぶ西太平洋には、計６４１の島々が点在する。中国の存在感が一つひとつの島に浸透し、影響力が行使されれば、米軍を段階的にこの地域から排除できるというわけだ。それも、民間人、あるいは民間人を装ったヒューミントの力だけで。

だからこそ、ナウルからキリバス、そしてミクロネシア連邦を結ぶ東ミクロネシア海底ケーブルの敷設に米豪日が資金を提供することは、非常に大きな意味があった。これは2021年12月11日に開かれたG7外務・開発大臣会合の場で正式に決定され、翌12日にオーストラリア政府によって発表された。

この計画は当初、世界銀行が主導で支援することになっていたが、そこに破格に安い価格を提示したのが、中国の通信機器大手メーカーであるファーウェイだった。最終的にはミクロネシア連邦とナウルが反対し、同社の参入は阻止されたが、その背後に日米豪による働きかけがあったのは、言うまでもない。

新たに敷設される海底ケーブルは、グアム、マーシャル諸島、そして米国本土をつなぐ軍民両用のHantru-1に接続される。米軍資金によって敷設する海底ケーブルに、中国のケーブルがつながっては一大事であった。

しかも、ひとたび海洋ケーブルを敷設すれば、メンテナンスのために常に船舶が往来しなければならないため、もし中国製のケーブルが敷設されていたら、ケーブルメンテナンスという名目で中国船がその海域を堂々と回遊することになっていたはずだ。伝統的に民兵組織が工作行為をする中国の場合、民間船といっても油断はできない。

こういう状況を踏まえると、ミクロネシア連邦のパニュエロ大統領が、退任間際の短い時間で書簡のリークを通じて、ミクロネシア連邦の外交を中国から台湾へスイッチさせようと画策した意味がよりはっきりとわかるだろう。

パラオ、グアム、マーシャル諸島、ミクロネシア連邦はハワイに司令部を置く米インド太平洋軍の生命線であり、この目前に位置するメラネシアグループが中国に侵されつつあるというならば、台湾海峡有事はそのまま新太平洋戦争の導火線となる。逆に、台湾が自由主義陣営の砦(とりで)として存在せず、中国の一部になってしまえば、米国の前庭である太平洋の広い範囲が中国の影響下に置かれかねないのだ。当然、日本の安全も危うくなろう。

## ホンジュラスの「たかり外交」と揺れるパラグアイ

2023年3月、台湾と断交したホンジュラスの台湾への「たかり外交」はじつにあからさまだ。台湾メディアにリークされた内幕によれば、ホンジュラスで2022年1月にカストロ大統領が就任して以来、両当局は、医療や農業などの支援枠組みについて交渉を重ねてきたが、ホンジュラス側はなかなか調印しようとせず、4500万ドル（約58億8060万円）の病院建設や、3・5億ドル（約457億3800万円）のダム建設、20億ドル（約2613億6000万円）の国債償還協力などの追加支援をねだってきたという。

2023年3月13日には、ホンジュラス外相からさらに25億ドル（約3267億円）の援助を求める書簡も届いたが、カストロ大統領は台湾の回答を待たず「中国と国交を樹立するつもりだ」とツイッターで宣言した。ホンジュラスは、中国にも60億ドル（約7840億8000万円）の建設プロジェクトへの支援を要請していたことが明らかになった。

こうしたホンジュラス側の態度について、台湾の呉釗燮・外交部長は2023年3月23日、立法院で「常識の範疇を超えた要求」だと批判。「獅子（中国）が大口を開けている状況なのであれば、ホンジュラスと国交を維持することはできない。ましてや、我々国民の血税を浪費することは、なおのことできない」と述べ、ついに3月26日、ホンジュラスと断交した。

このいきさつを知ると、台湾には同情するしかない。

そのころ、南米最後の台湾正式国交承認国のパラグアイも4月30日の大統領選をめぐり、揺れていた。野党候補のエフライン・アレグレは、自分が当選すれば、台湾と断交して中国に乗り換えると公約していたからだ。

アレグレ候補が２０２３年3月18日のロイターのインタビューで「パラグアイは台湾からの外交関係から十分な恩恵を受けたことがない」と語り、当選の暁には台湾当局と断交し、中国との国交にスイッチする方針を示唆した。パラグアイは世界第6の大豆生産国であり、そのほとんどが輸出用。また牛肉の輸出大国でもある。パラグアイはこの大豆と牛肉を中国に輸出したいのだが、台湾当局との国交が邪魔してできないのだという。

台湾の呉釗燮外交部長は、アレグレの発言に「困惑している」とコメント。実際、困惑する以外なかっただろう。台湾はパラグアイにとって米国に次ぐ第2の牛肉輸出国で、これはこれで十分規模が大きいはずだ。だが、結局、中国のチャイナマネーの鼻薬(はなぐすり)を嗅(か)がされると、60年維持してきた外交関係などあっさりひっくり返る。

結果からいえば、右派の与党コロラド党候補のサンティアゴ・ペニャ氏が得票率42・74％で、アレグレ候補の得票率27・48％に15ポイント以上の差をつけて大勝利した。台湾当局はほっと胸をなで下ろしたことだろう。8月15日の大統領就任式には、頼清徳副総統が出席する。米国で現役台湾副総統（かつ次期総統の可能性もある）の頼清徳が、米国でどのようなトランジット外交を展開するかは、再び中国が神経を尖らせるテーマとなった。

中南米がことあるごとに台湾断交の動きに揺れるのは、じつのところ台湾単独の問題というより、米中対立が大きな原因だ。2023年1月からブラジルの政権も親米ボルソナロ右派政権から親中ルラ左派政権に代わり、中南米の空気が一気に親中に傾いた。

## ◇「2024年台湾革命」としての台湾総統選

台湾にとって米国との関係は命綱であるが、米国にとっても台湾は米国自身の国際社会におけるポジションを大きく左右する存在だ。

台湾が中国とは異なる価値観と秩序と政治制度を保つ自由主義陣営の仲間であることは、米国が国際社会のルールメーカーであり続けるうえでの必須条件で、重要な生命線だ。このために、台湾の国際社会における地位や外交関係維持を拡大していく動きを、米国は全面的に支持していこうとしている。

台湾でたとえ疑米論が広がったとしても、米国のこの判断が変わるということは、米国が国際社会の一極リーダーの座を諦めるということに近いので、ちょっと想像しにくい。

だから台湾の2024年1月の総統選の結果は、台湾の未来だけでなく、米国の未来にも影響し、そしてそれは国際社会の秩序の再構築の行方も左右するものだろう。私は2024年1月13日の台湾総統選挙は、その結果次第では「革命」に匹敵する変化を台湾のみならず国際社会にもたらすものになるかもしれない、と思っている。

## 頼清徳を警戒するバイデン

台湾総統選挙について改めて整理しておくと、民進党与党候補の頼清徳、国民党候補の侯友宜、そして第三勢力の民衆党候補の柯文哲の三つ巴戦が予想されている。副総統候補は秋にならないと判明しないだろうが、民進党については、駐米代表（大使に相当）の国家安全保障に強い蕭美琴と、蔡英文政権時代の最も優秀な文化部長という評価もあった鄭麗君のいずれかではないか、といわれている。

7月の段階の世論調査、民意調査では頼清徳が支持率でリードしており、それを民衆党の柯文哲候補が猛追しているかたちになっている。そして、国民党の侯友宜候補が続く。

2023年7月17～18日の台湾民意基金会の調査では、総統候補としての支持率は頼清徳が33・9％、柯文哲候補が20・5％、侯友宜が18・0％、郭台銘が15・0％。菱伝媒の独自調査（7月12～16日）では頼清徳38・48％、柯文哲が28・34％、侯友宜21・29％、TVBS（6月28～7月1日）が頼清徳29・3％、柯文哲30・8％、侯友宜18・5％といったところだ。

頼清徳候補（民進党）が最も「倚米論」派、親米派で抗中派と有権者から見なされている。

だが米バイデン政権は若干、頼清徳に関しては警戒心をもっているようだ。

米国が頼清徳に対して警戒しているのは、おそらく頼清徳の7月に入ってからの発言が関係している。

頼清徳は2023年7月10日、台湾は米国政府とさらに緊密な関係を望んでいると語り、いつか台湾総統がホワイトハウスに入ることができるように期待している、と語っていた。この一言がバイデンの注意を引き付けたという。ホワイトハウスが台湾総統を迎え入れるということは、米国としてこれまで北京と約束していた「一中政策」を放棄すると捉えられかねない。そして、それは台湾海峡の現状変更を認めるということにつながる。

今のところ頼清徳は台湾総統選候補として、実務的態度で中国との関係を処理し、現状維持を約束している。7月16日に行なった選挙演説では、彼は対等と尊厳の原則を基礎に、北京とコミュニケーションを取りたい、と語った。

だが、ブリンケン国務長官が6月に訪中したとき、習近平は頼清徳が台湾総統になることについて強い懸念を示したという。米国はおそらく、頼清徳が台湾海峡の現状変化にどういった影響をもたらすかを慎重に吟味し、その結果次第では、バイデン政権としては民進党政権との距離感を変えてくるかもしれない。

仮に、頼清徳の本音が中華民国憲法の改正や国名改正に踏み込もう、というところにあるとすれば、それは対中関係改善を模索中の米バイデン政権にとっても、かなり厄介な問題をもたらす可能性もあるわけだ。

頼清徳副総統は8月14日、パラグアイ大統領就任式のためのパラグアイを訪問するために米国を経由。『ウォール・ストリート・ジャーナル』の報道などを参考にすれば、バイデン大統領は頼清徳の米国トランジットによって、中国との摩擦が起きることをできるだけ避けたい考えで、米国官僚筋によれば、この米国トランジット外交はできるだけ低調に行い、中国との関係悪化を回避したい考えだという。

台湾外交部側は、これまで台湾の副総統は11回、米国でトランジットしており、問題は何らない、としている。毛寧・外交部新聞司副司長は7月17日の定例記者会見で、頼清徳の米国行きについて「中国側は事態の発展に密接な関心を払っており、国家の主権と領土の完全性を守るために断固とした措置を取るつもりでいる」と牽制した。

こうしたトランジット外交を通じて、頼清徳の対米および対中政策の展望を米国としてどう見極めるか、そのうえでバイデン政権が次の総統選で民進党・頼清徳に肩入れするかどうかはまだ不明だ。

## 柯文哲の「96年コンセンサス」

一方、当初泡沫候補と見られていた柯文哲は4月の訪米で、かなりバイデン政権の心証をよくした。中国の対話再開、経済交流強化を打ち出しながら、米国とのパイプもしっかりつくり、なおかつ知日派イメージももつ柯文哲候補は２０２４年総統選の台風の目になるだろう。

柯文哲は5月20日までに国家安全、人民安全、産業安全の３つの領域ですでに政策草案を仕上げたといい、92年コンセンサスについては放棄を主張している。そして、「96年コンセンサス」という新しいコンセンサスこそが台湾の状況に合っている、と訪米中に語っている。

「96年コンセンサス」とは柯文哲がオリジナルに言い出した、今の台湾現状に合致したというコンセンサスであり、１９９６年、最初の台湾総統直接選挙が実施されて以降、台湾の主体性が確立されたという台湾有権者の共通認識だという。以降、選挙ごとに台湾の主体性は強化された。李登輝時代の台湾にある中華民国（中華民国在台湾）という認識が、２０００年、陳水扁政権の登場によって国民党以外の中華民国総統が誕生したことで、中華民国＝国民党政府ではなくなり、中華民国＝台湾（中華民国是台湾）、台湾の別名が中華民国という認識になった。さらに、２０１６年に再度民進党が政権を奪還して、台湾の主体性が強化された。

柯文哲は、1996年の台湾総統直接選挙は「革命的な台湾の主体性の変革であった」と評価。以降、台湾の社会、ロジック、ムードを完全に変えることになったという。中国が激怒する「台湾独立」という言葉を避け、「台湾主体」という表現で台湾独立状態の継続を主張しよう、ということだ。これは民進党の「天然独立」（今さら独立を主張しなくても、すでに独立している状態）と事実上、意味は同じだが、民進党が国家観として台湾の現状を提議しているのに対し、柯文哲は国家観というものを打ち出していない。だから「両岸一家親」（中台ファミリー）の思想とも矛盾しない、ということなのだろう。

柯文哲は2023年3月31日に、ユーチューブで「国民党と民進党の違い」について「両党は統一独立の意識、イデオロギーが異なる以外の部分は、ほとんど同じだ」と語った。だから2024年の総統選は、台湾にはすでに国民党と民進党があるが、ではなぜ第三勢力が必要なのかを問う選挙であるべきだ、という。そして民衆党が、すでに第三勢力としては親民党、新党がある状態で、なぜ第五の勢力に甘んじず三つ巴の一角となったのか、という有権者の問いに答えを出す選挙だ、という。

柯文哲が総統選に勝ったならば、できたばかりの民衆党の少数派与党となる。政権運営のためには連立政権をつくることになろう。立法委員に当選する民衆党議員も、多くて8人ほどだろう。一般に、中国との対話再開、経済交流強化を模索する対中政策は国民党と共通しており、国民党との連立政権の可能性が高そうだ。だが92年コンセンサスについていえば、民衆党と民進党が92年コンセンサス放棄、否定を主張し、国民党は92年コンセンサス支持を変えていない。安全保障については、柯文哲は戦争準備が台湾の安全保障になるという考えであり、むしろ民進党に近い「倚米論」派だ。

## 民衆党と民進党の連立も

柯文哲自身は「もし非緑連盟（民衆党と国民党が連立）をつくるとして、将来この国に緑陣営が不必要か？　そうではないだろう」とユーチューブなどで語り、仮に総統になった暁に、誰と協力するかについては含みをもたせている。

2024年の総統選は三つ巴戦となり、このままの情勢ならば国民党が劣勢に陥る、と見られている。

国民党・侯友宜候補が勝てないと見るや、国民党支持の有権者は台湾選挙によくある「棄票」（勝ち目のない候補に投票することを無駄と考え、影響力がもてるかたちで行う投票行動）行動を取るかもしれない。そうなったとき、国民党票は民進党・頼清徳よりも民衆党・柯文哲のほうに流れ、柯文哲総統誕生の可能性は高くなる。

民衆党・柯文哲が国民党支持有権者のおかげで勝利できたのであれば、新たな政権は民衆党・国民党連立政権というかたちになる可能性はある。だがそのとき、国民党として92年コンセンサス支持の立場を見直さざるをえなくなるかもしれない。

一方、頼清徳候補は2023年夏の段階で民意調査によっては4割近い支持率を得ており、仮に柯文哲が総統選に勝利したとしても、その民意を無視できないと柯文哲が考えた場合、民進党との連立もありうるわけだ。そうなれば民衆党と民進党は、台湾が直面する国際生存空間の問題についての方向性が一致し、92年コンセンサスは完全に放棄されることになる。これは中台関係の間に激震を起こす可能性がある。

## タイワニーズの国家として

下馬評どおり民進党の頼清徳候補が当選し、民進党政権が継続するとなると、民進党政権は連続12年、つまり子供が義務教育、高校を終えるまでの長さの政権を維持することになる。台湾では、国民党政権と民進党政権では国家観が完全に違い、民進党政権下で教育を受けた子供たちは、台湾は一つの民主主義国であることに疑いの余地をもっていない。するとまさしく

「天然独立」、独立宣言などしなくても、独立した民主主義国・台湾人のアイデンティティをもったタイワニーズの国以外の何物でもない。

そしてチャイニーズではなく、タイワニーズの国家として、国際社会に承認されることを普通に望むようになるだろう。「一つの中国」や「中台統一」は完全に古い歴史の中の話でフィクション、ファンタジーと認識されるようになるだろう。そして、頼清徳が語った「台湾総統としてホワイトハウスを訪問する」夢は実現可能の射程距離に入るのである。

2024年の台湾総統選は、2023年夏の時点で民進党か民衆党が勝つ公算が比較的高く、それは92年コンセンサス決別と倚米路線を望む有権者が多い、ということだ。そして、92年コンセンサス支持に拘る国民党がそのまま泡沫化し、消滅する可能性すらあるということだ。

## 台湾と米国は本格的な蜜月に

仮に中華民国を樹立した国民党が消滅したり、その党是から92年コンセンサスや一中原則を消して生まれ変わった新生国民党となったら、それは中華民国の意味も変わるということだ。

中国としては、かつて国共内戦で戦った相手が消滅したということであり、休戦状態を終わらせて和平協議を行う相手もいなくなる、ということだ。つまり和平統一の選択肢、統一の大義がなくなってしまうのだ。

統一の大義がないならば、中国の選択肢としては統一を放棄するか、武力統一という名の侵略を行うかの二択しかない。中国・習近平政権が統一の選択肢を放棄すれば、それは体制の崩壊につながりかねないのだから、武力統一、台湾侵攻の選択肢しか残されない。

そうなると、台湾としては台湾海峡の戦争リスクを回避するための最も効果的な方法として、米国の庇護を得て国防強化するしかなくなるのだ。

だから、台湾と米国は本格的な蜜月に突入し、米台準同盟化の道を進むことになるだろう。たとえ2024年11月の米大統領選挙の結果が民主党政権であろうと共和党政権であろうと、米国有権者と議会は、台湾の民主と自由社会が、中国によって脅かされることを黙って見ていることはできまい。

## 「一つの中国」原則との決別

ちなみに、米国のシンクタンク・ランド研究所が2021年にまとめたリポートによれば、中台戦争が勃発した場合、米国が直接介入しなければ台湾軍は90日もたずに敗北するという予測がある。米国は中国との戦争を望んでいないし、本音としては関係改善を模索したいだろうが、中国との関係改善のために、台湾を見捨てるという選択肢は取れないだろう。

台湾を失うということは、アジアにおける安全保障の枠組みの再構築が中国主導によって行われる、ということであり、アジアの安全保障の枠組みから米国の影響力が排除されることになる、ということだ。それはパックス・アメリカーナと呼ばれた米国の一極体制そのものが崩れる、ということであり、習近平が究極の目標として掲げる米中二極のG2体制からの中国一極体制、パックス・シニカの実現につながる、西側自由主義陣営にとっての最悪のシナリオだからだ。

2024年台湾総統選は、台湾・中華民国の92年コンセンサス、「一つの中国」原則との決別を決定的にする選挙となるかもしれない。もうとうにわかっていたことだが、「一つの中国」原則は失敗していたのだ。

台湾は、おそらく中国からの武力脅威にいっそう晒されるが、それば米台関係を準同盟化へとアップグレードし、台湾の国際社会における承認への道が開ける可能性がある。米国は「一つの中国」政策の継続不可能を認めざるをえない局面を迎えるだろう。

そういう意味で、2024年台湾総統選は台湾にとっても、米国を含む国際社会にとっても

「革命に匹敵する選挙」だと思うわけだ。そもそも選挙とは、血腥い革命戦争を行わなくとも平和裏に政権交代が行える人類の智恵だ。その効果を最もわかりやすいかたちで示している一つの例が、台湾の1996年以来の総統直接選挙だと思う。そして2024年の台湾総統選挙は、そういう選挙の中で最も劇的なものになるだろう。

## 日本と台湾が東南アジアからインド太平洋地域の橋頭堡を担う

好むと好まざるとにかかわらず、今後の国際社会は、よりはっきりと西側自由主義陣営と中国朋友圏陣営の対立という新冷戦構造のかたちになっていくだろう。

日本と台湾は、おそらくともに米国陣営の東南アジアからインド太平洋地域の橋頭堡(きょうとうほ)的な役割を担う。ある程度の戦争準備と覚悟を負わされることになる。中国は台湾を統一するために、武力使用の選択肢をより具体的に詰めてくるだろう。非常に神経の張りつめる時代が始まるだろう。

もしロシア・ウクライナ戦争が停戦せず、むしろウクライナがNATOの一員になって、ロシア・ウクライナ戦争がロシア・中国vsウクライナ・NATOの形に発展したとしたら、その間のインド・太平洋の安全に対する台湾や日本の役割はさらに重くなるかもしれない。

じつにきな臭く嫌な時代だが、そういう危機があってはじめて、台湾は1971年以来、失っていた国際社会においての立場を取り戻すことができるチャンスをつかむことになるかもしれない。

## 波乱万丈の歴史を乗り越えてきた知恵とバイタリティの検証を

習近平が語るように、今が100年に1度の世界の変局の時代で、国際社会の枠組みが再構築されるという仮説が正しければ、この再構築ゲームのメインプレイヤーは中国と米国だけではなく、台湾が重要なキープレイヤーになるといえよう。

あまり想像したくないが、国民党が政権を奪還して、その党是を変えず、中台和平協議を推進することになれば、台湾は比較的速やかに中国に併呑され、その影響は太平洋島嶼国や中南米にも影響し、米国のレームダック化がいっそう明確になっていく可能性がある。

国際社会のルールメーカーとして中国の台頭により大きなチャンスが与えられ、私たちが考える民主や自由や平和や人権とはまったく違う概念の民主や自由や平和や人権が跋扈（ばっこ）する国際社会というものが現れるかもしれない。それはそれで、戦や混乱の火種になるだろう。

そう、いずれにしてもきな臭く危うく混乱した時代が始まるのだ。

ただ、台湾の波乱万丈の歴史とそれを乗り越えてきた知恵とバイタリティを改めて振り返り、検証して、今台湾に何が起きているかを正しく把握すれば、それを無事乗り越えるヒントは必ず見つかるはずである。

# あとがき

2022年8月25日に、ちょっとおもしろい人にインタビューした。本書でもちらりと触れた米軍軍事顧問団で資材管理をしていた台湾人の「黄」老人だ。

彼の話はもう少しきちんと裏取りしないといけないのだが、台湾の未来について、風変わりな意見をいっていたので、少しだけここで取り上げたい。

「台湾は日本に統一されるべきだ。日本はそうする責任があるはずだ」という。

彼の理屈を説明すると、こうなる。

「馬関条約（下関条約）ではっきりと台湾、澎湖諸島は日本に割譲された。だがサンフランシスコ条約で日本国は、台湾及び澎湖諸島に対するすべての権利、権限及び請求権を放棄する、としたが、では台湾がどこに帰属するかは明確にしていない。

1943年12月1日の『カイロ宣言』についてはっきりしているのは、時間と日付が記されておらず、蔣介石、チャーチル、ルーズベルトの3首脳のいずれも署名がなく、事後による追認もなく、授権もない。

こんなに重要な文書が、英国の国家ファイルでも原本が見つからない。歴史が歪曲、改竄されることはよくあることで、以前、我々が学んだ歴史の中の『カイロ宣言』の部分は、完全に騙されていた」

「日本は台湾の主権を放棄したが、誰に譲るとは決めていない。宙ぶらりんのままだ。だから台湾の帰属問題に関してまだ日本には発言権があるはずだ。日本が放棄した権利を取り戻すことだってできるはずだ」

「台湾人が住民投票で独立を選ぶと、中国はそれを許さずに武力統一するという。なら、もし米国の51番目の州、あるいはグアムのように米国の準州になりたいと台湾住民が投票で選んだら、どうだろう。住民投票で、日本の放棄を取り消すように求めたら、どうだろう。宙ぶらりんの台湾が戦後苦労したのは、日本の台湾主権放棄のせいなのだから、日本にその責任を取ってほしい」

台湾が日本に帰属できれば、日本と台湾の間にある主権問題の尖閣諸島の問題も解決できるではないか、とも。

そして、どこまで本当かはわからないが、こういう考えを昔、若かりしころの李登輝に私的に話したことがあり、賛同を得られたのだ、という。

与太話の類ではあるが、２０２０年の都知事選挙で、とある泡沫候補が公約に「台湾の日本返還」を掲げたことがあり、それが台湾のネット上でちょっと話題になった。日本では選挙に出ても話題にすらならない人物だが、米国系華字メディアのラジオ・フリー・アジアがなぜか取り上げて記事にして、元台湾教師連盟理事長の蕭暁玲のコメントを紹介していた。

「１９４５年に日本が無条件降伏した当時、台湾人は自分が日本人だと思っていた。少なくとも、日本が台湾を放棄したから２・28事件の虐殺が起きたのだと思っていた」「日本人は台湾の戦後の運命に責任がある。しかし、日本人の若い世代は台湾がかつて日本の一部であったという歴史をほとんど語らない。多くの日本人が、台湾は中国だと思っているが、これはさらにモヤモヤする」

## ◆「米国より日本を信じている」

確かにかつて、自分は日本人であるというアイデンティティをもち、日本を守るために戦線で命を懸けた人たちがいた。靖国で会おう、といって散った人もいた。台湾が中国に帰属するより日本に回帰すればいいという言論は、歴史的な曲折から見ても筋が通っている、というわけだ。

黄老人は、台湾で独立を宣言する選択肢が許されないとして、もし帰属先を住民投票で中国、米国、日本の中から選べといわれれば、日本を選ぶ人がいちばん多いはずだ、と言い切った。

「なぜなら私の両親も私の妻も、日本精神の持ち主だから。台湾の多くの住民がどこの国に属したいかと問われれば、日本という。台湾人は米国より日本のほうを信じている。蔣介石も米国の軍事顧問団より日本の根本中将や白団のほうを信頼していた」

黄老人は、米軍の顧問団の中にいたので、米軍の腐敗や蔣介石に対する侮蔑の二枚舌を実際に見聞きしている。今まさに台湾で疑米論が頭をもたげ始めているのは、米国のアジア蔑視、有色の人々に対する蔑視の歴史もあるだろう。

## 南太平洋島嶼国の平和と安定、発展を考える役割

南太平洋島嶼国や中南米や中東、中央アジアで反米的な政権ができて、中国に取り込まれるのは、何もチャイナマネーの威力によろめいただけではなく、根っこにアングロサクソン系国家の傲慢さに対する嫌悪も大きい。

ソロモン諸島のソガバレ首相ははっきりと、オーストラリアはじめアングロサクソン系国家の傲慢な態度への反感を中国への接近の理由に挙げている。実際は、その種の傲慢さはアングロサクソン諸国だけのものではなく、中国の中華意識の傲慢さも似通ったところがある。だから一部のアジア、太平洋諸国の庶民の中には、中国から大量の投資を受けながらも中国人嫌いも多い。

南太平洋諸島が今、中国に取り込まれつつある問題については、この地域で30年以上にわたり安全保障や福祉政策に現地からコミットし続けてきた研究者の早川理恵子氏に言わせれば、日本も関与している。

早川氏によれば、ソロモン諸島で起きたような、中国に付け込まれるほど根深い部族間対立の問題には、先の大戦で、ガダルカナル島に日本軍が飛行場を建設したのちに米軍に攻略され、そこを基地とするために米軍がマライタ島民を労働者として大量に連れてきたことが関与している、という。

黄老人の台湾日本帰属論は夢物語にすぎないので、本気で論じる必要はない。だが、改めて思うのは日本の戦後社会の責任と役割についてだ。今の台湾の国際社会の孤児という境遇の責任の一端は日本が負う部分もあろうと思う。

また南太平洋島嶼国は、かつて多くの日本人が命を散らせてまで固執し、激戦が繰り広げられた地域であり、そのことが、今なお地域に根深い民族対立や矛盾を残しているとしたら、日本はこの地域の安定と繁栄に無関心でいることは許されまい。

たんに安全保障上の理由や、「中国の支配を許してはならない」という感情論ではなく、この地域に住む人たちの真の意味での平和や安定、そして発展を考える役割は、やはり日本が担うべきではないか。

アジア・太平洋の多くの国の人々が、日本の大東亜共栄圏建設の理想と挫折に翻弄され、その暮らしや運命が狂わされた。日本は無条件降伏し、平和憲法を受け入れ、それなりの責任を取らされて屈辱も味わったが、安全保障のうえでは米国の庇護を受けつつ、平和憲法を理由に、朝鮮戦争にもベトナム戦争にも日本人戦闘員を送り込まず、経済的繁栄を享受できた。

平和憲法はGHQの草案を押し付けられたものだという論説があるが、平和憲法を盾に国際社会で起きるおよその安全保障をめぐる問題について、平和を唱えるだけで、無関心を決め込むこともできたのだった。

だからこそ敗戦国であるのに、戦勝国であった中華民国よりも、またその中華民国に内戦で勝利した中華人民共和国よりも、早くに国際社会上に確固とした地位を築き、多くの東南アジア諸国よりも、経済的・政治的に安定した国家を建設できた。

## ◆最も力を尽くすべきは日本

今が、習近平が何度も言及するように100年に1度めぐってくるような国際社会の枠組みの再構築時代の始まりだとすると、今後の国際社会の安全保障のフレームワークや経済秩序において、どの国が主導権を握るのかは、歴史上の経験から予測すると、おそらく「戦争」というパワーゲームで決着をつけることになる。

この「戦争」が冷戦という構造のかたちで長期間続くのか、あるいは武器兵器も使う熱戦になるのか、あるいはその両方を、あらゆる手段を使って並行的に行われるハイブリッド戦となるのかは、まだわからない。

少なくとも今の段階で、熱戦の一端はロシア・ウクライナ戦争というかたちで始まってしまい、様々なかたちの米中両陣営の世論誘導戦や認知戦、経済・金融制裁やデカップリングなどが合わさったハイブリッド戦が進行中である。

その「戦争」の行方次第で、台湾海峡や南太平洋、南シナ海が舞台となる「熱戦」に延焼する可能性がくすぶっている。

もし万が一にでも、次の有事が台湾海峡を舞台とするなら、日本はこれまでと同じように、やはり平和憲法を盾に無関係・無関心の立場を通すことができるだろうか。フランスのマクロンは、台湾海峡から遠く離れており、台湾問題とは距離を置くと宣言できたとしても、台湾海峡は日本の目の前にある。与那国からわずか110㎞だ。

そう考えれば、平和憲法があろうがなかろうが、「台湾有事は日本の有事」という故・安倍晋三元首相の発言は事実なのだ。台湾有事の展開によっては、沖縄やその他の米軍基地が攻撃対象になる可能性は十分にあるし、たとえそうでなくとも、台湾海峡やバシー海峡や宮古海峡が戦時下で封鎖されれば、エネルギーも食糧も輸入に頼っている日本が非常に厳しい環境に置かれることは間違いない。

仮に台湾が戦争を避けようと、自ら中国に統一されることを選んだとしても、それは日本にとってさらに厳しい時代の幕開けとなる。日本はもっと米国と距離を置いて中国と親密になればいい、という日中友好論者は、中国共産党政権のレジティマシーが反日を貫くことで維持されているということを忘れがちだ。共産党一党独裁が継続されている間は、日本が同盟国を米国から中国に乗り換えることなど、ありえない。

結局、日本にとって唯一の安全な未来は台湾が、中国とは違う独立したアジアの民主主義国家として存続することなのだ。そのために最も力を尽くすべきは、本当のところ米国以上に、台湾の運命にかなり大きな責任と関わりをもってきた日本だろう。

## 米国を疑っても中国を信用することにはならない

米国への一方的追随が台湾や日本を戦争に巻き込むことになる、という疑米論は日本にもくすぶっているが、私はもしそういう考えがあるなら、なおさら積極的に台湾やインド・アジア太平洋や南太平洋での安全保障に、日本がコミットするべきだと思う。

安倍政権時代のインド、オーストラリアを巻き込んだセキュリティ・ダイヤモンド構想や、米国抜きで発効された環太平洋パートナーシップに関する包括的および先進的な協定（CPTPP）は、そうした日本の積極性をほんの少し発揮した成果だったと思う。

米国を疑っても、中国を信用することにはならない。日本にとって中国の軍事的脅威を緩和するには、米国との同盟関係は必要不可欠だ。そのうえで、米国がいわゆる小国を代理戦争の駒にする懸念を払拭（ふっしょく）し、あるいは未然に防ぐ立ち回りをするのが、最も米国に近いポジションの日本の役割だろう。

そういう役割を自ら担おうとするときに、最もわかり合えて、頼りになるパートナーは台湾ではないか、と私は思っている。

## 台湾有事を回避する知恵は日台で絞っていく

台湾の次の総統選挙で、もし民進党政権が維持されれば、台湾は少なくとも12年の間、台湾人による台湾で生まれた政党によって政権が運営されることになる。民進党政権下の歴史教科書では、台湾の歴史は国民党政権以前から存在している。日本の植民統治も蔣介石政権の圧政もその歴史の一部にすぎない。

そういう教科書で学んだ若い世代が支える台湾は、おそらくもう中華ではない。オーストロネシア語族発祥の地で華人移民と同化し、ポルトガル、スペイン、清朝、日本、中華民国の支配を受けた歴史と、強烈な米国の影響を受け、中国の脅威に晒されながらも、それらの経験を糧にして自らの国造りに成功した民主主義現代国家としてのアイデンティティが確立されているだろう。中華民国という国名は残るかもしれないが、国民党の国家ではなく、国民党自身、政党として台湾で生き延びるために、党是の一中原則を捨てざるをえなくなろう。

こうした台湾の国造り経験は、たとえば日本の明治維新の国造りの経験に相通ずる部分があるかもしれない。台湾は、日本が忘れた、危機や試練を乗り越えるためにエリートたちが責任をもって智恵を絞った歴史も思い出させてくれる存在ではないだろうか。

## ◆国際社会の枠組みを再構築するチャンス

私はもし台湾が次の総統選挙で民進党政権が維持され、「和平保台」の路線を取り、中台統一に抵抗していくならば、米国と台湾が、準同盟関係になるのは時間の問題だと思っている。だが、そのうえで、台湾が有事を回避する知恵は、日台で絞っていく必要がある。戦争忌避の思いは、太平洋の向こうの米国とこちら側の日台では温度差がある。本当に台湾海峡の安定と平和を願っているのは台湾自身と日本だ。

日本と台湾が本当の意味での同盟関係、運命共同体としてあらゆるリスクにともに立ち向かう盟友になるべきだし、なれると思う。その先に新しい国際秩序の枠組みのイメージをともにもつことができるのではないだろうか。米国一極でも米中二極でも当然中国一極でもない、新しい多極的な国際社会の枠組みを、日台が第三極として提示していくくらいのビジョンをもてるのではないだろうか。

私は、台湾海峡の危機を、そういう新しい国際社会の枠組みの再構築のチャンスにできないかと期待している。戦争を起こさずに、この危機を乗り越えて、米中武力衝突のパワーゲームの結果ではない新しい国際秩序とルールのイメージを日台で導けないだろうか。

福島香織

2023年7月

〈著者略歴〉
**福島香織**（ふくしま　かおり）
ジャーナリスト・中国ウォッチャー・文筆家。
1967年、奈良市生まれ。大阪大学文学部卒業後、産経新聞社に入社。上海・復旦大学に業務留学後、香港支局長、中国総局（北京）駐在記者、政治部記者などを経て2009年に退社。以降はフリージャーナリストとして活躍。ラジオ、テレビでのコメンテーターも務める。著書に『ウイグル・香港を殺すもの』（ワニブックスPLUS新書）、『習近平「独裁新時代」崩壊のカウントダウン』（かや書房）、『ウイグル人に何が起きているのか』『台湾に何が起きているのか』（以上、PHP新書）など多数。

装丁：斉藤よしのぶ

**なぜ中国は台湾を併合できないのか**

2023年9月18日　第1版第1刷発行

著　者　福島香織
発行者　永田貴之
発行所　株式会社ＰＨＰ研究所
東京本部　〒135-8137　江東区豊洲5-6-52
ビジネス・教養出版部　☎03-3520-9615（編集）
普及部　☎03-3520-9630（販売）
京都本部　〒601-8411　京都市南区西九条北ノ内町11
PHP INTERFACE　https://www.php.co.jp/

組　版　有限会社メディアネット
印刷所
製本所　図書印刷株式会社

 ISBN978-4-569-85554-7